"LE FRANÇAIS SANS FRONTIÈRES"
Collection dirigée par Christian Baylon
Maître assistant de linguistique à l'université de Montpellier

MICHÈLE VERDELHAN
Assistante en linguistique générale
à l'université de Montpellier.

MICHEL VERDELHAN
Professeur à l'École Normale
de Montpellier.

PHILIPPE DOMINIQUE
Agrégé de l'université
Maître assistant à l'université d'Aix-en-Provence.

méthode de français

Illustrations Gérard BOUYSSE

Clé international
88, Boulevard Arago, 750 14 PARIS

1. DIALOGUE AUDIOVISUEL : Regardez ! Écoutez !..

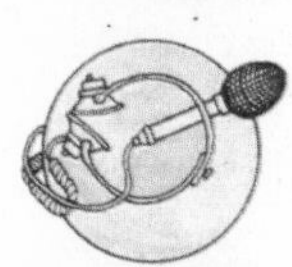

2. PHONÉTIQUE : Écoutez ! Répétez !..

3. DOCUMENTS : Lisez ! Analysez !..

4. VOCABULAIRE, GRAMMAIRE : Comprenez ! Apprenez !..

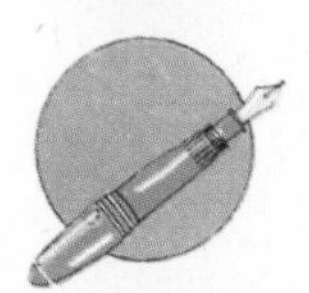

5. EXERCICES ÉCRITS : Complétez ! Écrivez !..

6. STRUCTURES ORALES : Répétez ! Répondez !..

7. PRISE DE PAROLE : Parlez !

Et aussi : ...Cherchez ! Choisissez ! Comparez ! Corrigez ! Décrivez ! Définissez ! Demandez (à votre professeur) ! Devinez ! Dialoguez (avec votre voisin) ! Donnez votre avis ! Épelez ! Étudiez ! Expliquez ! Imaginez ! Indiquez ! Interrogez ! Jouez ! Mimez ! Notez ! Posez des questions ! Racontez ! Recopiez ! Reliez ! Remplacez ! Remplissez ! Résumez ! Servez-vous (d'un dictionnaire, d'une grammaire) ! Soulignez ! Traduisez ! Transformez ! Vérifiez !

1 1.1 Jacques Martineau, pianiste

* Je m'appelle Jacques Martineau.
* J'ai vingt-cinq ans.
* Je suis pianiste.
* Je suis français.
  Je suis né à Marseille.
* J'habite à Paris, place de la Contrescarpe.

[a]

Je m'appelle Jacques Martineau.

J'habite à Paris, place de la Contrescarpe.

Je suis né à Marseille.

NOM *Surname*	MARTINEAU
PRÉNOM *Christian Name*	Jacques François Pierre
NÉ LE *Date of birth*	12 février 1957
A *Place of birth*	Marseille
Nationalité	française
PROFESSION	Pianiste / musicien
DOMICILE *Address*	2 place de la Contrescarpe, Paris

(2)
Henri DUVAL (1)
Journaliste
(3)
(4) 15 rue de la Liberté
75015 PARIS

1 nom 2 prénom	Il s'appelle Henri Duval.
3 profession	Il est journaliste.
4 adresse/domicile	Il habite à Paris, 15 rue de la Liberté.

VOCABULAIRE

les professions :

journaliste
pianiste
médecin
infirmièr(e)
dentiste
secrétaire
architecte
étudiant(e)

les nombres :

1 un	8 huit	14 quatorze	20 vingt	27 vingt-sept
2 deux	9 neuf	15 quinze	21 vingt et un	28 vingt-huit
3 trois	10 dix	16 seize	22 vingt-deux	29 vingt-neuf
4 quatre			23 vingt-trois	30 trente
5 cinq	11 onze	17 dix-sept	24 vingt-quatre	31 trente et un
6 six	12 douze	18 dix-huit	25 vingt-cinq	
7 sept	13 treize	19 dix-neuf	26 vingt-six	40 quarante
				50 cinquante

(voir tableau complet en bilan p. 33)

. le genre :

féminin	masculin

Elle est chinoise	Il est mexicain

NOM	(en) FRANCE	(au) JAPON	(en) CHINE	(au) MEXIQUE	(en) ALLEMAGNE	(en) TUNISIE
ADJECTIF						
Masculin	français	japonais	chinois	mexicain	allemand	tunisien
Féminin	française	japonaise	chinoise	mexicaine	allemande	tunisienne

. Les verbes

	sujet	verbe	
première personne	je	suis	allemand
		m'appelle	Kurt
	j'	ai	28 ans
		habite	à Bonn

	sujet	verbe	
troisième personne	il	est	américain
		s'appelle	Dan
	elle	a	30 ans
		habite	à Tokyo

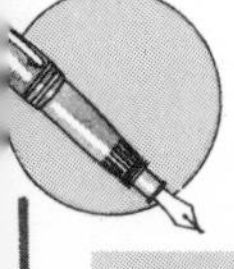

Marie CAMARAT
Infirmière

7 avenue Bosquet
75007 PARIS

Henri-Alexandre FABRE
Architecte

2 boulevard de Toulon
13100 AIX-EN-PROVENCE

1. *Recopiez et complétez :*

Elle s'appelle ....

Elle est ....

Elle .... *à Paris* ....

Il ....

.... *est* ....

.... *2* ....

FICHE D'INSCRIPTION

NOM .... GORETTA ....

Prénom .... Angela ....

Né(e) le .... 16-3-58 ....

A .... Napoli ....

Nationalité .... italienne ....

Profession .... secrétaire ....

Domicile 18 via Cavour -Torino-

2. ***Recopiez et complétez :***

Elle s'appelle ....

....

Elle est née ....

à ....

Elle est ....

Elle est ....

Elle habite ....

3. ***Recopiez et complétez votre fiche :***

NOM ....

Prénom ....

Né(e) le ....

A ....

Nationalité ....

Profession ....

Domicile ....

4. ***Recopiez et complétez :***

Je m'appelle ....

....

Je suis né(e) ....

....

....

....

....

5. ***Recopiez et remplissez selon le modèle en utilisant :*** *acteur, actrice, président, américain(e), français(e)*

Nom :	*Charlie Chaplin*	*acteur*	*américain*
Nom :	....	....	....
Nom :	....	....	....
Nom :	....	....	....

		Nom :				**Profession :**			**Domicile :**
je	m'	appelle	Anna	je	suis	infirmière	j'	habite à Paris
il	s'	appelle	Hans	il	est	médecin	il	habite à Oslo
elle	s'	appelle	Carmen	elle	est	étudiante	elle	habite à Londres

Présentez-les :

Jean
LEBOURGEOIS
Canadien
Architecte
Montréal

Helmut KRANTZ
Allemand
Acteur
Stuttgart

Yoko OZAWA
Japonaise
Étudiante
Kyoto

Carmen RIVERA
Mexicaine
Journaliste
Acapulco

Présentez-vous :

Je m'appelle . . . .
. . . .

Présentez-votre voisin ou votre voisine :

Il/Elle s'appelle . . . .
. . . .

Mimez des professions.

La classe essaie de deviner :

il est . . .
elle est . .

1.2 Bonjour, Monsieur Martineau

(dix heures)

*	***Jacques :***	Bonjour, madame Lenoir, bonjour, monsieur Lenoir. Ça va ?
	Le concierge :	Ça va. Et vous, monsieur Martineau ?
*	***Jacques :***	Ça va. S'il vous plaît monsieur Lenoir, quelle heure est-il ?
	Le concierge :	Il est dix heures !
	Jacques :	Merci !
*	***Jacques :***	Bonjour, monsieur l'agent.
	L'agent :	Bonjour, monsieur Martineau.
*	***Jacques :***	Salut, François. Comment ça va ?
	François : *(le coiffeur)*	Salut, Jacques. Ça va. Et toi ?
	Jacques :	Ça va !

(Dix-sept heures)

*	***Jacques :***	Au revoir, Joseph. A demain.
	Joseph Lorentz : *(Le chef d'orchestre)*	Au revoir, Jacques. A demain.
*	***Jacques :***	Bonsoir, madame Lenoir.
	La concierge :	Bonsoir, monsieur Martineau.

(vingt-trois heures trente)

*	***Le présentateur :***	Il est vingt-trois heures trente. Bonne nuit, madame, bonne nuit, mademoiselle, bonne nuit, monsieur.

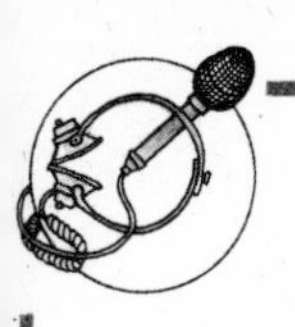

[wa]

Jacques dit bonsoir à François, le coiffeur.

Salut, François, ça va? Ça va, et toi?

Au revoir, madame Lenoir.

7.00	Bonjour la France
8.00	**INFORMATIONS**
10.00	Il s'appelle Don Juan
11.15	Un, deux, trois...
12.00	Midi magazine
13.00	**INFORMATIONS**
14.30	Profession : architecte
16.00	Mexico, Mexico
17.00	Salut !
19.00	**INFORMATIONS**
20.00	A l'Opéra
21.30	Bonsoir, Paris
22.45	Ça va ? et vous ?
23.30	Bonne nuit

SCRIPT BOARD : JACQUES MARTINEAU

PLAN 1
10 heures - Dans l'escalier
Jacques et le concierge :
Il dit bonjour au concierge

PLAN 2
10 heures 05 - Devant la maison
Jacques et l'agent de police :
Il dit bonjour à l'agent

PLAN 3
10 heures 10 - Dans la rue
Jacques et le coiffeur :
Il dit bonjour au coiffeur

VOCABULAIRE

- **le lieu :**

Il est **dans** la rue, **devant** la maison.
Elle est dans la maison.

la place - la maison

la rue - l'escalier.

- **l'heure :**

Quelle heure est-il ? Il est ...

a) neuf heures

b) onze heures et quart *(quinze)*

c) sept heures et demie *(trente).*

d) deux heures moins le quart *(une heure quarante-cinq)*

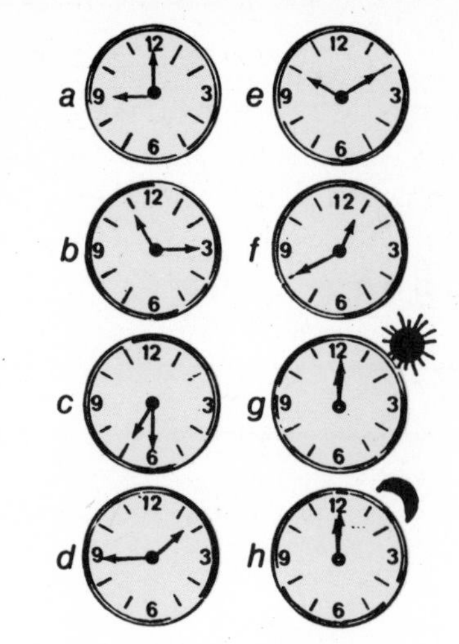

e) dix heures dix

f) une heure moins vingt *(midi quarante)*

g) midi *(douze heures)*

h) minuit... *(zéro heure)*

- **les salutations :**

Bonjour
Bonsoir
Salut
Ça va ?
Ça va, et toi ?
Ça va, et vous ?

Au revoir
A demain
A bientôt
Salut
Bonsoir
Bonne nuit

GRAMMAIRE

1. les articles (définis)

	masculin	féminin	masculin ou féminin
	le coiffeur, domicile	**la** concierge, maison	**l'** agent - étudiante, escalier - adresse
Il dit bonjour...	**au** coiffeur	**à la** concierge	**à l'** agent - étudiante

2. le féminin des noms (les professions)

a) invariable : le pianiste - le concierge - le secrétaire - le journaliste
la pianiste - la concierge - la secrétaire - la journaliste

b) variable : l'étudiant - le musicien - l'acteur - le coiffeur
l'étudiante - la musicienne - l'actrice - la coiffeuse

c) attention ! le médecin - l'ingénieur - le professeur - le chef d'orchestre
(la femme médecin - la femme ingénieur...)

3. la coordination : ET

Monsieur **et** madame Lenoir - Jacques **et** François - Le nom **et** le prénom.

1. *Écrivez l'heure selon le modèle :*

8 h 40 = a) huit heures quarante b) neuf heures moins vingt
10 h 30 - 6 h 45 - 13 h 15 - 0 h 10 - 21 h 25 - 23 h 50

2. *Choisissez : le - la - l'*

président	*journaliste*	*architecte*	*rue*	*profession*
agent de police	*coiffeuse*	*étudiant*	*opéra*	*nom*
acteur	*secrétaire*	*médecin*	*maison*	*domicile*
infirmière	*concierge*	*coiffeur*	*escalier*	*prénom*

3. *Recopiez et reliez :*

Jacques dit bonjour

- *à l'* ●
- *au* ●
- *à la* ●

- ● *concierge*
- ● *coiffeur*
- ● *étudiant*
- ● *agent*
- ● *journaliste*
- ● *étudiante*

4. *Regardez la bande dessinée p. 8 et complétez le script board :*

Plan 3 . . . . . . dix . . . . . . rue.
Jacques et . . . . . . coiffeur.
(Il dit . . . . . . coiffeur.)

Plan 18 . . . . . . heures. . . . . . . l'opéra.
Jacques . . . . . . chef d'orchestre.
(Il . . . . au revoir . . . . . . chef d'orchestre.)

Plan 21 . . . . . . escalier . . . . . . et . . . . . . concierge.
(Il dit . . . . . . concierge.)

<table>
<tr><td>Je</td><td>suis</td><td rowspan="2">dans
devant</td><td rowspan="2">l'escalier
la maison</td></tr>
<tr><td>Il
Elle</td><td>est</td></tr>
</table>

<table>
<tr><td>Je</td><td>dis</td><td rowspan="2">bonjour
bonsoir
au revoir
bonne nuit</td><td rowspan="2">au
à l'
à la
à</td><td rowspan="2">médecin
infirmière
concierge
François
monsieur Lenoir</td></tr>
<tr><td>Il
Elle
Jacques</td><td>dit</td></tr>
</table>

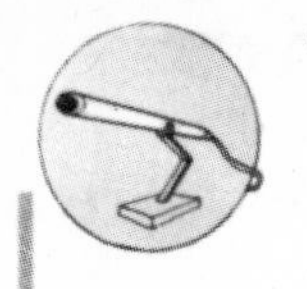

Décrivez les dessins ou les photos

en employant *il est ... (+ profession)*
et il est ... devant, à côté, dans ... (+ lieu)

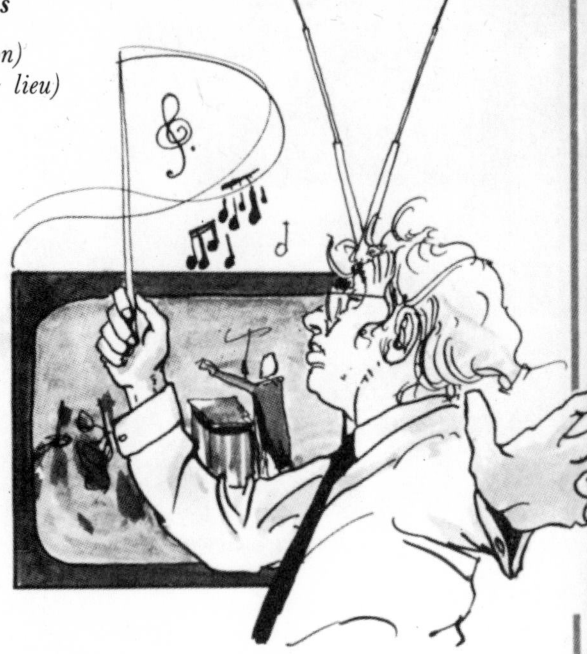

Décrivez et faites parler les personnages

en employant *il est ...... heures. Il/Elle dit ...... bonjour/bonsoir ......*

Saluez votre voisin ou votre voisine

Demandez/Donnez l'heure à votre voisin ou votre voisine

1.3 Le rendez-vous

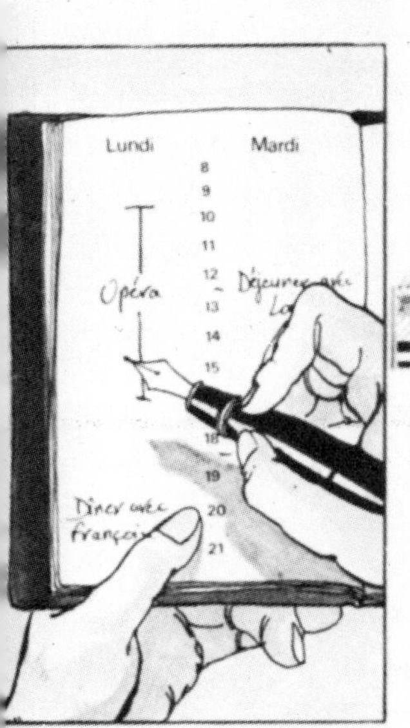

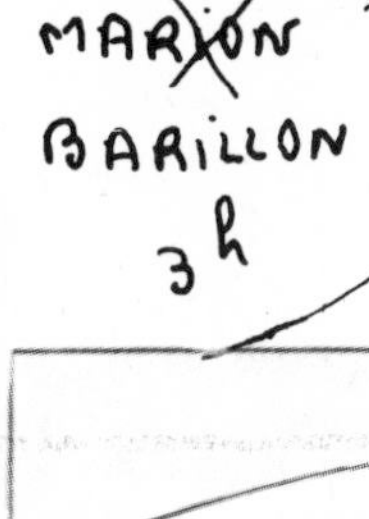

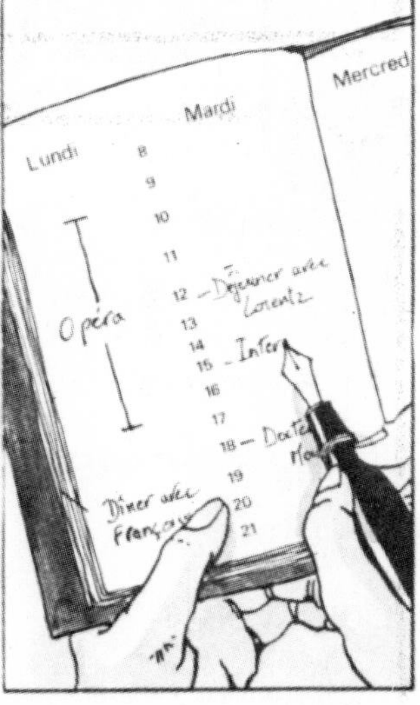

La journaliste : Allô ? 707.54.15 ? Jacques Martineau ?

Jacques : Oui.

La journaliste : Bonjour, monsieur Martineau. Je suis journaliste. Est-ce que vous êtes libre lundi pour une interview ?

Jacques : Non, lundi je ne suis pas libre. Je travaille.

La journaliste : Et mardi ?

Jacques : Oui, mardi je vais à l'Opéra à 5 heures et demie, mais je suis libre de 3 h à 5 h. Vous pouvez venir à 3 h ?

* *La journaliste :* D'accord. Rendez-vous à 3 h. Je m'appelle Vivienne Barillon.

Jacques : Marion ?

La journaliste : Non, Barillon.

Jacques : Vous pouvez épeler, s'il vous plaît ?

La journaliste : B-A-R-I-L-L-O-N.

Jacques : D'accord : Barillon.

La journaliste : Au revoir, monsieur Martineau et merci beaucoup.

Jacques : Au revoir, mademoiselle

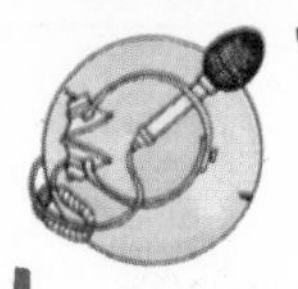

Vivienne Barillon est journaliste.

Jacques est libre mardi après-midi.

[i] Vous êtes libre lundi ?

INTONATION : Vous êtes libre ?

Oui, mardi je suis libre

Gérard

Rendez-vous à 8h moins le quart devant le cinéma.

Jacques

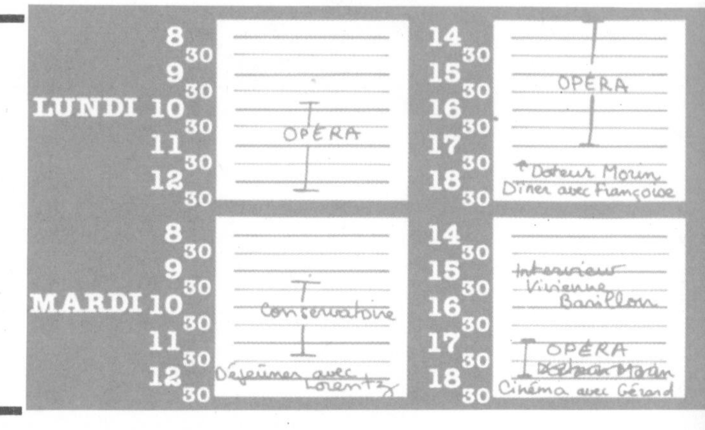

LUNDI	8 – 12.30	OPÉRA	14 – 18.30	OPÉRA Docteur Morin Dîner avec Françoise
MARDI	8 – 12.30	Conservatoire Déjeuner avec Lorentz	14 – 18.30	Interview Vivienne Barillon OPÉRA Docteur Morin Cinéma avec Gérard

VOCABULAIRE

• les jours :

lundi, mardi, mercredi, jeudi, vendredi, samedi, dimanche.

• les moments de la journée :

matin, après-midi, soir.

• les activités de la journée :

travailler, déjeuner, dîner, aller au cinéma, à l'opéra...

• le lieu :

chez le docteur, chez la journaliste, chez l'architecte..., au cinéma, à la radio, à l'aéroport, à l'opéra

au restaurant,

chez le coiffeur.

GRAMMAIRE

1. les verbes

		DÉJEUNER	DINER	TRAVAILLER
1re personne	je	déjeune	dîne	travaille
2e personne	tu	déjeunes	dînes	travailles
	vous	déjeunez	dînez	travaillez
3e personne	il/elle	déjeune	dîne	travaille

	ÊTRE	ALLER	POUVOIR	DIRE	VENIR
je	suis	vais	peux	dis	viens
tu	es	vas	peux	dis	viens
vous	êtes	allez	pouvez	dites	venez
il/elle	est	va	peut	dit	vient

2. la négation : NE...PAS

Je **ne** suis **pas** libre.
Je **ne** travaille **pas.**
Je **n'**ai **pas** vingt ans.

3. l'interrogation (la question) : EST-CE QUE ?

(**Est-ce que**) tu déjeunes chez Pierre **?**
— Oui, je déjeune chez Pierre.
— Non, je ne déjeune pas chez Pierre.

4. verbe + verbe (à l'infinitif)

Est-ce que tu peux venir ? Vous pouvez épeler ? Il peut venir dîner mardi.

1. *Répondez aux questions*

Est-ce que Jacques est pianiste ? — *Oui, il est pianiste.*
Est-ce que Vivienne est étudiante ? — *Non, elle n'est pas étudiante, elle est journaliste.*

Est-ce que Vivienne travaille à l'Opéra ? ....

Est-ce que Jacques habite à Paris ? ....

Est-ce que Vivienne s'appelle MARION ? ....

2. *Mettez les verbes à la forme qui convient*

*Est-ce que vous **(aller)** à l'Opéra ? Je ne **(aller)** pas chez le dentiste le samedi.*
*Vous **(pouvoir)** venir mardi. Comment ça **(aller)** ? Est-ce que tu **(pouvoir)** venir dîner lundi ?*
*Vous **(être)** infirmière ?*

3. *Mettez en ordre*

est Jacques lundi libre est-ce que ? *libre n'est Vivienne pas lundi matin*
ne pas le je mardi travaille *cinéma pouvez au venir vous ?*

4. *Recopiez et complétez les questions*

Jacques ne travaille pas le mardi.

— Est-ce .... *lundi ?*

Il n'est pas libre le matin.

— .... *l'après-midi ?*

Vivienne ne peut pas aller chez Jacques.

— .... *Jacques* .... *Vivienne ?*

Il ne peut pas venir à 3 heures.

— .... *3 heures et demie ?*

5. *Sur le modèle :* *« Rendez-vous à 8 h devant le cinéma. »*
donnez des rendez-vous (par écrit) à votre voisin ou à votre voisine.

Est-ce que	tu vous	es êtes	architecte médecin	?	**Oui**	je	(ne)	suis	... **pas** ...
Est-ce qu'	il elle	est	étudiant(e) journaliste		**Non**	il elle	(n')	est	...

Est-ce que	tu vous	viens venez	à l'opéra au cinéma	?	**Oui,** .....
Est-ce qu'	il elle	vient	chez le coiffeur		**Non,** .....

Est-ce que ...	**Oui**	je tu	**(ne)**	peux peux	**(pas)**	venir	déjeuner	au restaurant
?							habiter	à la maison
Est-ce qu'	**Non**	il elle		peut			travailler	chez Jacques

Regardez l'emploi du temps de Françoise Lebourg, étudiante

FÉVRIER		13 LUNDI	14 MARDI	15 MERCREDI	16 JEUDI	17 VENDREDI	18 SAMEDI	19 DIMANCHE
Matin	8	COURS	X	X	COURS	COURS	X	X
	9	COURS	X	X	COURS	COURS	X	X
	10	COURS	X	COURS	COURS	X	X	X
	11	COURS	X	COURS	COURS	X	X	X
	12	COURS	X	COURS	COURS	X	X	X
Après-midi	14	X	COURS	COURS	X	COURS	X	X
	15	X	COURS	COURS	X	COURS	X	X
	16	COURS	COURS	X	X	COURS	X	X
	17	COURS	COURS	X	X	COURS	X	X
	18	COURS	COURS	X	X	COURS	X	X

Dialoguez

Est-ce que Françoise est libre le lundi matin?
— Non, elle n'est pas libre.

Est-ce que Françoise travaille le lundi après-midi?
— Elle ne travaille pas de 14 h à 16 h. Elle travaille de 16 h à 18 h.

Mardi? Mercredi? ...

Regardez l'agenda de Jacques p. 14. Posez des questions *(avec ou sans « Est-ce que... »).*

Est-ce que Jacques travaille à 8 h?
Jacques déjeune avec Vivienne?

....

Épelez *(cf. tableau bilan p. 33)* *SNCF USA URSS SOS*

votre nom
le nom de votre rue... et les noms de ces rues de Paris.

Jeu du téléphone

Françoise Lebourg, étudiante, téléphone au Dr Morin (no 954.13.23) pour un rendez-vous.

Imaginez le dialogue en employant :

...... épelez ...... rendez-vous ...... ne travaille pas ......
Le docteur donne un rendez-vous mercredi à 17 h.

Posez des questions à votre voisin ou à votre voisine :

Est-ce que { tu es / vous êtes } libre, jeudi à six heures?

Est-ce que { tu travailles .... ?
vous travaillez .... ? }

1.4 L'interview

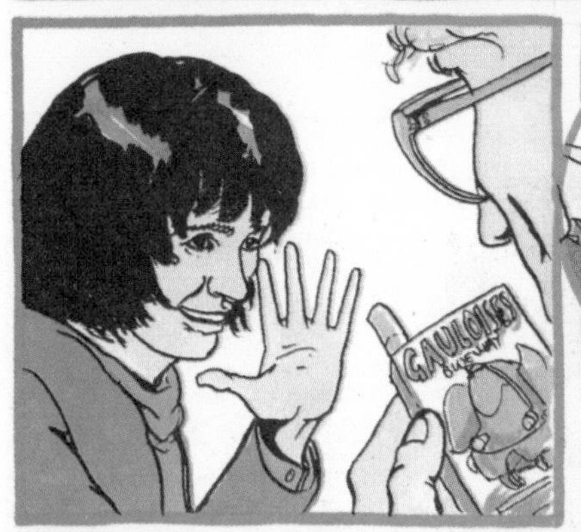

* ***Jacques :*** Bonjour, mademoiselle.
Vivienne : Bonjour, monsieur Martineau.
Jacques : Par ici...
* Est-ce que vous voulez un café ?
Vivienne : Volontiers.
* ***Jacques :*** Voulez-vous une cigarette ?
Vivienne : Non merci. Je ne fume pas.
* Je peux commencer ?
Jacques : D'accord.
* ***Vivienne :*** Vous êtes musicien, vous aimez Bach, Mozart, Beethoven.
Jacques : Bien sûr. Et aussi Gerschwin, Bartok, ...
Vivienne : Aimez-vous aussi le jazz ?
Jacques : Oui, beaucoup.
* ***Vivienne :*** Et le folk ?
Jacques : Un peu.
* ***Vivienne :*** Le disco ?
Jacques : Pas du tout.
* ***Vivienne :*** Qu'est-ce que vous faites le week-end?
Jacques : Je joue un peu au tennis et au football, mais je préfère lire et écouter la radio.
Vivienne : Vous écoutez... France-Musique ?
Jacques : Bien sûr !

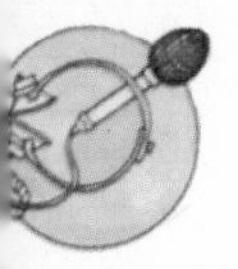

[U]

Bonjour. Voulez-vous un café ?
● ⬤ ● ● ● ● ●⬤

Oh ! oui. J'aime beaucoup le café.
● ⬤ ● ● ● (●) ●⬤

Aimez-vous le jazz ? Oui, beaucoup.
● ● ● ● ⬤ ⬤ ● ⬤

Le week-end, je joue au tennis et j'écoute la radio.
● ● ⬤ ● ● ● ● ⬤ ● ● ⬤ ● ● ⬤

VACANCES 3 000

questionnaire :

Nom .... *DUPRÉ* ....

Prénom .... *François* ....

Adresse *13 Rue de Paris (EVRY)* ...

Date de naissance .. *6 mars 1946* ....

Vous aimez voyager un peu .... ☐
beaucoup .... ☒
pas beaucoup .... ☐

Vous préférez la mer .... ☒
la montagne .... ☐
la campagne .... ☐

Vous aimez sortir un peu .... ☐
beaucoup .... ☐

Vous détestez « sortir » .... ☐

Vous préférez :

le théâtre .... ☐
le cinéma .... ☒

Chère Maman,
François est photographe.
Il adore voyager. Il parle
anglais, espagnol et
italien. Il adore la musique
et le cinéma. Il aime beaucoup
la montagne. Il déteste la
campagne, il adore la mer.

les promenades .... ☐
les visites .... ☐
les week-ends à la campagne .... ☐
les concerts .... ☒
les conférences .... ☐
les expositions et musées .... ☐
les spectacles sportifs .... ☐
le sport (pratiqué) .... ☐
le restaurant .... ☐
la danse .... ☐
les réceptions .... ☐
ou : .... ☐

VOCABULAIRE

• les sentiments :
aimer, adorer, préférer, détester...

• les degrés :
un peu, beaucoup, pas du tout

• les activités :
manger, boire, dormir, lire, fumer...
écouter la radio, regarder la télé,
jouer au football...

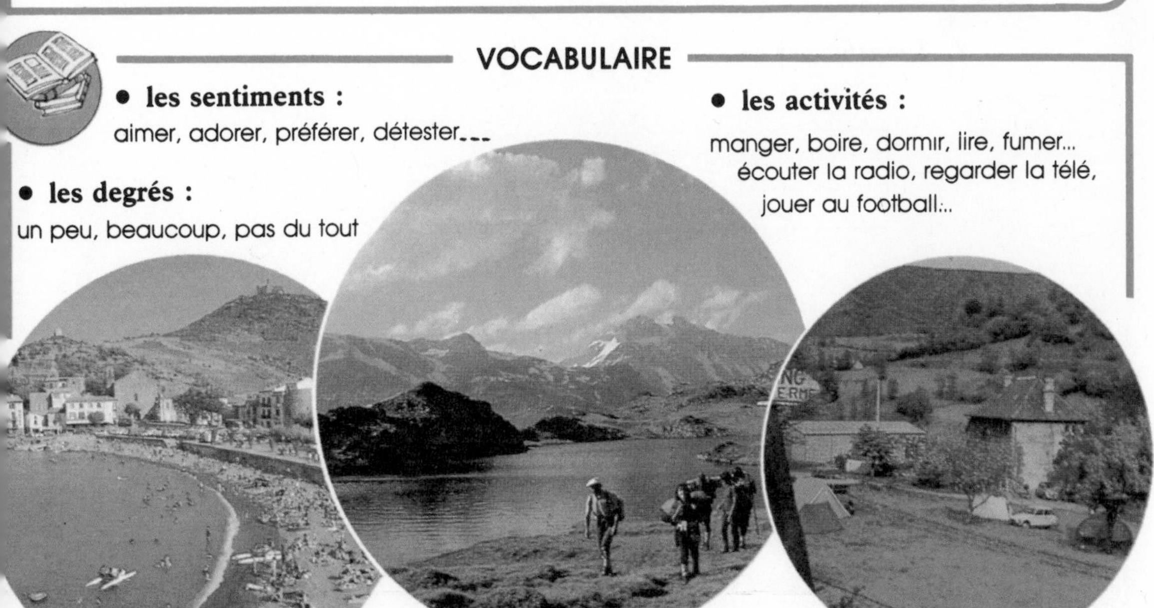

• lieux (de vacances) : la mer, la montagne, la campagne.

GRAMMAIRE

1. les articles (indéfinis)

masculin	féminin
un café **un** étudiant	**une** cigarette **une** étudiante

2. les verbes

	FAIRE	VOULOIR	DORMIR
je	fais	veux	dors
tu	fais	veux	dors
vous	faites	voulez	dormez
il/elle	fait	veut	dort

3. le nom complément d'objet

Il veut **un café.**
Elle aime **un photographe.**

4. l'interrogation

a) **Est-ce que** vous voulez une cigarette ?
b) Vous voulez une cigarette **?** *(intonation)*
c) Voulez-**vous** une cigarette ? *(inversion)*

Qu'est-ce que... ? Quel... ? Quelle... ?
Qu'est-ce que vous faites le week-end ?
Qu'est-ce qu'il fait ?
Quel jour es-tu libre ?
Quelle heure est-il ?

1. *Répondez par écrit aux questions*

— *Aimez-vous lire ? voyager ? boire ? manger ? dormir ? jouer au football ? jouer au tennis ?*
— *Préférez-vous la mer, la campagne ou la montagne ?*
— *Préférez-vous aller au cinéma, au théâtre ou au concert ?*
— *Préférez-vous regarder la télévision, écouter la radio, ou lire ?*

2. *Transformez en vous aidant du tableau*

aime un peu	+	n'aime pas beaucoup	–
beaucoup	++	pas du tout	– –
adore	+++	déteste	– – –

Joseph Lorentz, chef d'orchestre :
lire (+), Beethoven (+++), le football (–), la radio (++) = Joseph Lorentz aime lire, il adore Beethoven...

Mme Lenoir, concierge :
écouter la radio (++), regarder la télévision (+ ++), aller au cinéma (+++), jazz (– –), l'opéra (++), dormir (+), le café (+++)

3. *Et vous, qu'est-ce que vous aimez, qu'est-ce que vous n'aimez pas ?*

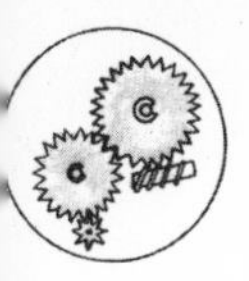

	tu vous il	veux voulez veut	une cigarette un café dormir	?	Est-ce que Est-ce qu'

j' je il/elle vous tu	(n')	aime aime aimez aimes	un peu beaucoup pas pas du tout	le café, la télé... boire, fumer... écouter la radio aller au cinéma	?	**Oui,** ..... **Non,** .....

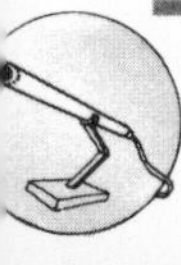

Qu'est-ce qu'il fait le week-end ? Décrivez.

Interrogez votre voisin ou votre voisine sur son week-end.

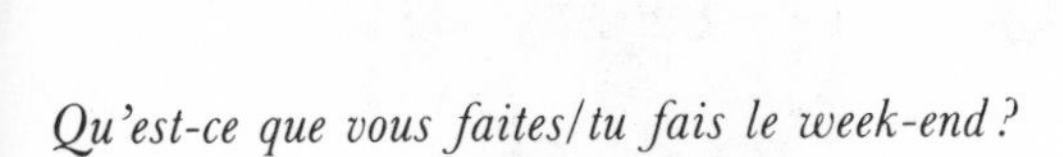

Qu'est-ce que vous faites/tu fais le week-end ?

Jeu de mime

Interrogez votre voisin ou votre voisine sur ses goûts. Traduisez ses mimiques :

Vous aimez l'Opéra ? *il (elle) n'aime pas l'Opéra*
il (elle) déteste...
il (elle) adore...

Faites parler les personnages en employant

il aime, n'aime pas, adore, déteste...

Donnez votre avis : *J'aime un peu, beaucoup..., je déteste...*

1.5 La répétition

: Ici Vivienne Barillon. Je suis à la salle Pleyel pour une répétition de l'orchestre Josef Lorentz.

: Au programme, il y a des œuvres de Berlioz et Mozart.

Les musiciens arrivent. Ils disent bonjour au chef d'orchestre. Josef Lorentz est grand, brun, mince. Je ne vois pas le pianiste !

* Ah, il arrive ! Jacques Martineau est souriant, sympathique...

* Et voici deux jeunes violonistes. Elles sont en retard ! Josef Lorentz n'est pas content !

* « — Mesdemoiselles, vous êtes prêtes ?

* Mesdames messieurs, s'il vous plaît, nous pouvons commencer ? »

LES LIAISONS

Elle est à la salle Pleyel pour une répétition.

Les deux violonistes sont en retard. Elles arrivent.

Mesdemoiselles, vous êtes prêtes ?

CAVEAU DE LA BOLEE
LE DIMANCHE à 22 heures
THE SESSION
JAZZ MUSIC
25, r. de l'Hirondelle (pl. St-Michel) 354-62-20

JAZZ UNITÉ

du 3 juin au 5 juin	CHRIS MAC GREGOR
du 6 juin au 9 juin	SAM RIVERS QUARTET

«LES QUATRE TEMPS»
LA DEFENSE TEL. 776 44 26
Restaurant ouvert jusqu'à 2h du matin

LUNDI 28 SEPTEMBRE

Gaveau, 25, rue La Boétie, 563-20-30. - 21h : Récital de piano par Daniel VARSANO. Sonates de Beethoven. Pl. 40 à 80 F, réd. 35 et 50 F, étud. 30 F.

MERCREDI 23 SEPTEMBRE

Sainte Chapelle, bd du Palais, loc. 260-31-84. - 21h : Récital de guitare par Ichiro SUZUKI. Œuvres de Mozart, Turina, Bach. Pl. 30 à 65 F, réd. 30 et 45 F.

VENDREDI 25 SEPTEMBRE

Th. des Champs-Elysées, 15, av. Montaigne. 563-07-96. - 20h30 : ORCHESTRE DE PARIS, direct. D. Barenboïm. Beethoven : symphonies n° 3 et 4. Pl. 40 à 90 F.
Institut Polonais, 31, rue Jean-Goujon. - 20h30 : Récital de piano par Jolanta BRACHEL. Œuvres de Chopin, Allain, Szymanowski, Liszt, Rachmaninov, Scriabine.

VOCABULAIRE

• la description physique

grand - petit
grande - petite
jeune - vieux
jeune - vieille

gros - mince
grosse - mince
brun - blond - roux
brune - blonde - rousse...

• la description psychologique

gai/souriant - triste
gaie/souriante - triste
sympathique - antipathique
sympathique - antipathique

content - mécontent
contente - mécontente
gentil - méchant
gentille - méchante...

• la musique (instruments et musiciens)

piano - pianiste
flûte - flûtiste
violoncelle - violoncelliste
violon - violoniste
trompette - trompettiste
guitare - guitariste
harpe - harpiste...

GRAMMAIRE

1. les verbes

		VOIR			
singulier	1re personne	je vois	*pluriel*	1re personne	nous voyons
	2e personne	tu vois		2e personne	vous voyez
	3e personne	il/elle voit		3e personne	ils/elles voient

	ÊTRE	POUVOIR	VOULOIR	ALLER	VENIR
nous	sommes	pouvons	voulons	allons	venons
vous	êtes	pouvez	voulez	allez	venez
ils/elles	sont	peuvent	veulent	vont	viennent

2. le pluriel des articles (définis et indéfinis)

le - la - **les**
un - une - **des**

les musiciens de l'orchestre Lorentz

un musicien

e musicien Jacques Martineau

des musiciens

		masculin	féminin
article défini	singulier	le musicien l'infirmier	la musicienne l'infirmière
	pluriel	les musiciens les infirmiers	les musiciennes les infirmières

ATTENTION **Il dit bonjour...**

au musicien	à la musicienne
à l'infirmier	à l'infirmière
aux musiciens	aux musiciennes
aux infirmiers	aux infirmières

article indéfini	singulier	un musicien	une musicienne
	pluriel	des musiciens	des musiciennes

3. les adjectifs qualificatifs

	masculin	féminin
singulier	content gai jeune	contente gaie jeune
pluriel	contents gais jeunes	contentes gaies jeunes

sujet	(accord)	attribut
Il	est	souriant
Elle	est	souriante
Ils	sont	souriants
Elles	sont	souriantes

nom	(accord)	épithète
un homme		brun
une femme		brune
des hommes		bruns
des femmes		brunes

4. les présentatifs

	Voici	Jacques Martineau
	Voilà	le chef d'orchestre
Au programme,	**Il y a**	des œuvres de Bach

5. le complément du nom

des œuvres **de Mozart**
une répétition **de l'orchestre**

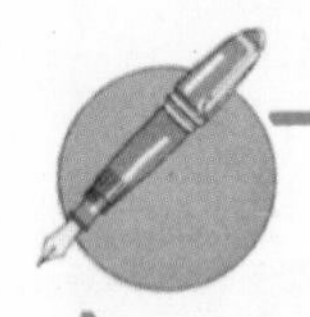

1. ***Regardez les documents p. 24. Recopiez et complétez***

Lundi 28 septembre .... un récital de ...... à la salle ...... à ...... heures. Au programme .... œuvres de Beethoven. ...... 23 ...... à la Sainte Chapelle ...... heures. Au programme ...... Mozart, Turina, Bach. Vendredi 25 ...... à l'institut polonais ......

2. ***Transformez***

Elle s'appelle ...... Elle est ...... Elle a ......
Elle aime ...... Elle cherche ......

Anne Laure, 25 ans, brune, gaie, infirmière, aime tennis et musique. Cherche homme, 40 ans, blond, grand et gentil, pour mariage.

3. ***Décrivez-vous*** *Je m'appelle ...... Je suis ...... J'ai ...... J'aime ......*

4. ***Présentez-vous dans un texte d'annonce***

Est-ce que	Vivienne Jacques le chef	est	content(s) contente(s) sympathique(s) gai(s) gaie(s)	?	**Oui, ...** **Non, ...**
	les étudiants les musiciens	sont			

Est-ce que... ?	**Non,**	je suis tu es vous êtes il/elle est nous sommes vous êtes ils/elles sont	brun(s) brune(s) petit(s) petite(s) mince(s) jeune(s)

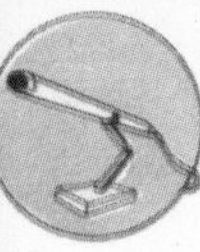

Regardez les programmes page 24 et faites parler les personnages

a. — *Qu'est-ce que vous faites lundi ?*

— *Nous allons à* . . . .

— *Qu'est-ce que vous allez écouter ?*

— *Nous allons écouter* . . . .

— *Qu'est-ce qu'il y a au programme ?*

— *Il y a des œuvres de* . . . .

b. . . . . . . *tu* . . . . . . *mercredi ?*

c. . . . . . . *elles* . . . . . . *vendredi ?*

d. . . . . . . *ils* . . . . . . *dimanche ?*

Vous invitez votre voisin ou votre voisine à venir à un concert.

Vous : *Il y a un concert samedi soir à* . . . .

Tu viens ? *Vous venez* . . . . *?*

Tu veux venir . . . . *?* *Vous voulez* . . . . *?*

Est-ce que tu peux . . . . *?* *Est-ce que vous* . . . . *?*

Lui/Elle : *D'accord, je suis libre. Qu'est-ce qu'il y a au programme ?* . . . .

ou : *Non, je ne peux pas. Je ne suis pas libre.*

(Non, nous ne pouvons pas. Nous ne sommes . . . . *)*

Je vais au cinéma/théâtre/restaurant avec . . . .

(Nous allons . . . . *)*

Décrivez les personnages *(en utilisant grand-petit, jeune-vieux, gai-triste . . . .)*

Décrivez votre voisin ou votre voisine

BILAN

A. Tests

1. Recopiez et complétez

Miloud habite ... Tunisie ; il est ....
Jack habite ... Amérique ; il est ....
Klaus habite ... Allemagne ; il est ....
Dolores habite ... Mexique ; elle est ....
Lin Chan Ping habite ... Chine ; elle est ....

Exemple :
Maria Beatriz habite ***au*** *Portugal ; elle est* ***portugaise.***

2. Présentez-les

Jean, 24 ans, étudiant, né à Lyon ; 5, rue Auguste-Blanqui, Lyon.
Sandra, 30 ans, dentiste, née à Rome ; 21, via Torino, Milan.
Manuel, 41 ans, architecte, né à Madrid ; 3 Calle San Fernando, Madrid.
Ursula, 35 ans, secrétaire, née à Bonn ; 58, Alexanderstrasse, Stuttgart.
Éva, 45 ans, médecin, née à Upsala ; Kungsgatan 37, Bergen.

Exemple : François a 28 ans, il est photographe, il est né à Marseille.
Il habite : 27, boulevard de l'Hôpital à Paris.

3. Qu'est-ce qu'ils disent ? Choisissez

9 h 15 — *Salut, madame.*
— *Bonjour, madame.*
— *Bonne nuit, madame.*
22 h — *Ça va ?*
— *Salut.*
— *Bonne nuit.*
20 h — *Bonjour.*
— *Au revoir.*
— *Bonsoir.*
10 h — *Bonjour, monsieur.*
— *Au revoir, Pierre.*
— *Ça va, Pierre.*
23 h — *Salut.*
— *Bonne nuit.*
— *Ça va ?*

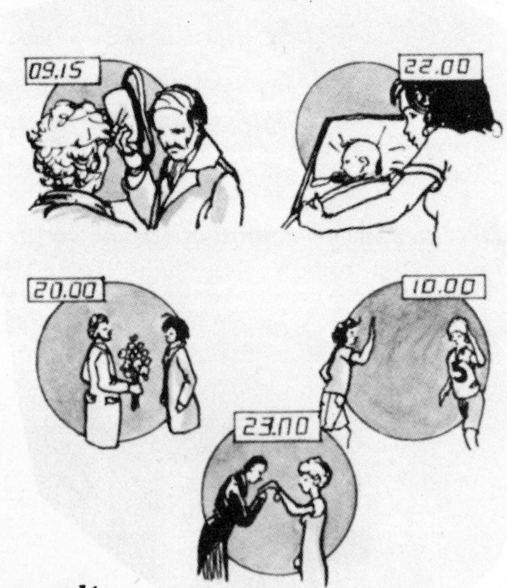

4. Emploi de LE, LA, L', LES : Recopiez et complétez

Elle adore ...... campagne.
Je dîne avec ...... architecte.
...... infirmière est en retard.
Vous aimez ...... café ?
...... musiciens aiment ...... musique.
...... hôtels sont vides.
La concierge est dans ...... escaliers.
Jacques aime ...... jazz.
Il n'est pas content : ...... musiciens ne sont pas prêts.

. *Emploi de AU, A LA, A L', AUX : Recopiez et complétez*

Josef Lorentz habite ...... hôtel.
Elle ne va pas beaucoup ...... cinéma.
Tu viens ...... aéroport ?
Les musiciens vont ...... répétitions.
J'aime beaucoup aller ...... montagne.

. *Emploi de UN/UNE, LE/LA : Recopiez et complétez*

Veux-tu ...... cigarette ?
...... présentateur dit bonsoir.
Vous ne regardez pas ...... télévision ?
Jacques a ...... répétition à 17 heures.
Au revoir, je vais chez ...... coiffeur.

'. *Emploi de A, AU, CHEZ : Recopiez et complétez*

Je n'aime pas aller ...... l'hôtel.
Le président du Venezuela arrive à 17 heures ...... l'aéroport de Roissy.
Le week-end, ils adorent aller ...... la campagne.
Vous pouvez venir ...... Pierre à 10 heures ?
Est-ce que vous voulez venir ...... théâtre ?
Je ne suis pas libre samedi matin, je vais ...... le coiffeur.
Elle a un rendez-vous ...... le dentiste à 5 heures.
Est-ce que vous aimer aller ...... cinéma ?
Elle n'aime pas aller ...... restaurant.
Il est ...... le médecin.

8. *Mettez le verbe à la forme qui convient*

— *Qu'est-ce qu'elles* **(faire)** *le week-end ? — Elles* **(aller)** *à la campagne.*
— *Est-ce que tu* **(pouvoir)** *venir ? — Non, je ne* **(être)** *pas libre.*
— *Est-ce qu'elles* **(lire)** *beaucoup ? — Oh, oui. Elles* **(adorer)** *lire.*
— *Vous* **(travailler)** *à Paris ? — Oh oui, nous* **(être)** *étudiantes ici.*
— *Est-ce que Paul et Martine* **(venir)** *avec nous ? — Non, ils ne sont pas libres : ils* **(travailler)**.

9. *Trouvez la bonne réponse*

— **Vous habitez à Paris ?**
— *Volontiers / D'accord / Non.*
— **Vous voulez venir au cinéma ?**
— *Oui ça va / Oui, volontiers / Oui, je comprends.*
— **Au revoir ; je vais travailler chez moi.**
— *Bonjour / Salut / Merci.*
— **Je peux fumer ?**
— *S'il vous plaît / Merci beaucoup / Oui bien sûr.*
— **Vous aimez la montagne ?**
— *Pas du tout / Volontiers / D'accord.*

10. *Mettez l'adjectif à la forme qui convient*

Elles sont **(petit-vieux)**.
Elle est **(souriant-gai-sympathique)**.
Ils sont **(grand-mince)**.
Elles sont **(petit-jeune-blond)**.
Ils sont **(méchant-antipathique)**.

B) Images pour...

"J'habite à Paris, place de la Contrescarpe."

la place de la Contrescarpe

Dans le Quartier latin, le rendez-vous des étudiants, des musiciens, des chansonniers

la rue Mouffetard

Près de la place de la Contrescarpe, le marché de la « Mouffe »

un café parisien

A la terrasse, une bière, un jus de fruit, un petit « crème » ou un « noir »

"Mardi, je vais à l'opéra."

l'Opéra de Paris ou Palais garnier

Construit en 1874, architecte Charles Garnier (style Napoléon III), 2 200 places, peinture de Chagall

la Répétition

Le chef d'orchestre, les violonistes et les violoncellistes

le concert

L'orchestre national :
Au programme, des musiciens français du début du siècle, Debussy, Fauré, Ravel

C. Texte complémentaire

(Un samedi rue Mouffetard à Paris)

Lui : — *La place est libre, s'il vous plaît ?*
Elle : — *Oui.*
Lui : — *Je peux m'asseoir ?*
Elle : — *Bien sûr.*
Lui : — *Vous êtes française ?*
Elle : — *Non. Je suis canadienne.*
Lui : — *... vous habitez à Paris ?*
Elle : — *Non. J'habite à Lyon.*
Lui : — *Vous aimez Lyon ?*
Elle : — *Oui, beaucoup.*
Lui : — *Qu'est-ce que vous aimez à Lyon ?*
Elle : — *Les restaurants... et les Lyonnais aussi. Ils aiment bien boire et manger. Ils sont gentils, souriants.*
Lui : — *Vous aimez les Parisiens.*
Elle : — *Les Parisiens sympathiques, oui !*
Lui : — *Je m'appelle Frédéric. Et vous ?*
Elle : — *Francine.*
Lui : — *Vous êtes à Paris pour le week-end, Francine ?*
Elle : — *Oui.*
Lui : — *Et qu'est-ce que vous faites à Paris le week-end ?*
Elle : — *Je vais au théâtre, à l'opéra, au concert.*
Lui : — *Vous aimez le jazz ?*
Elle : — *J'adore.*
Lui : — *Je vais à un concert de jazz à 9 heures au New Morning. Il y a un pianiste sud-africain. Vous voulez venir ?*
Elle : — *Volontiers.*

D. Aide-mémoire

1. Les nombres

	20 VINGT	**30** TRENTE	**80** QUATRE-VINGTS
1 un	**21** vingt et un	**31** trente et un	**81** quatre-vingt-un
2 deux	**22** vingt-deux	**32** trente-deux	**82** quatre-vingt-deux
3 trois	**23** vingt-trois	**33** trente-trois...	**83** quatre-vingt-trois
4 quatre	**24** vingt-quatre	**40** QUARANTE...	**84** quatre-vingt-quatre
5 cinq	**25** vingt-cinq	**50** CINQUANTE...	**85** quatre-vingt-cinq
6 six	**26** vingt-six	**60** SOIXANTE...	**86** quatre-vingt-six
7 sept	**27** vingt-sept		**87** quatre-vingt-sept
8 huit	**28** vingt-huit		**88** quatre-vingt-huit
9 neuf	**29** vingt-neuf		**89** quatre-vingt-neuf
10 DIX		**70** SOIXANTE-DIX	**90** QUATRE-VINGT-DIX
11 onze		**71** soixante et onze	**91** quatre-vingt-onze
12 douze		**72** soixante-douze	**92** quatre-vingt-douze
13 treize		**73** soixante-treize	**93** quatre-vingt-treize
14 quatorze		**74** soixante-quatorze	**94** quatre-vingt-quatorze
15 quinze		**75** soixante-quinze	**95** quatre-vingt-quinze
16 seize		**76** soixante-seize	**96** quatre-vingt-seize
17 dix-sept		**77** soixante-dix-sept	**97** quatre-vingt-dix-sept
18 dix-huit		**78** soixante-dix-huit	**98** quatre-vingt-dix-huit
19 dix-neuf		**79** soixante-dix-neuf	**99** quatre-vingt-dix-neuf

100 cent, **200** deux cents..., **1 000** mille, **1 000 000** un million

2. L'alphabet

A	**a**	[a]	comme Adèle	**N**	**n**	[ɛn]	comme Nicolas
B	**b**	[be]	comme Berthe	**O**	**o**	[o]	comme Oscar
C	**c**	[se]	comme Célestin	**P**	**p**	[pe]	comme Pierre
D	**d**	[de]	comme Désiré	**Q**	**q**	[ky]	comme Quentin
E	**e**	[ø]	comme Eugène	**R**	**r**	[ɛr]	comme Raoul
F	**f**	[ɛf]	comme François	**S**	**s**	[ɛs]	comme Suzanne
G	**g**	[ʒe]	comme Gaston	**T**	**t**	[te]	comme Thérèse
H	**h**	[aʃ]	comme Henri	**U**	**u**	[y]	comme Ursule
I	**i**	[i]	comme Irma	**V**	**v**	[ve]	comme Victor
J	**j**	[ʒi]	comme Joseph	**W**	**w**	[dubløve]	comme William
K	**k**	[ka]	comme Kléber	**X**	**x**	[iks]	comme Xavier
L	**l**	[ɛl]	comme Louis	**Y**	**y**	[igrɛk]	comme Yvonne
M	**m**	[ɛm]	comme Marcel	**Z**	**z**	[zɛd]	comme Zoé

3. Le calendrier

Les jours de la semaine
lundi, mardi, mercredi, jeudi, vendredi, samedi, dimanche.

Les mois de l'année
janvier, février, mars, avril, mai, juin, juillet, août, septembre, octobre, novembre, décembre.

E. Conjugaison

Le présent de l'indicatif

Auxiliaires : ÊTRE — AVOIR

1er groupe : habiter — épeler — travailler — déjeuner — dîner — arriver — chercher — aimer — préférer — adorer — détester — voyager — regarder — écouter — parler — manger — fumer — jouer — commencer — s'appeler

3e groupe : aller — faire — venir — dormir — lire — dire — pouvoir — vouloir — boire — voir.

	ÊTRE	AVOIR	TRAVAILLER	ARRIVER
je/j'	suis	ai	travaille	arrive
tu	es	as	travailles	arrives
il/elle	est	a	travaille	arrive
nous	sommes	avons	travaillons	arrivons
vous	êtes	avez	travaillez	arrivez
ils/elles	sont	ont	travaillent	arrivent

	MANGER	COMMENCER	APPELER	S'APPELLER
je/j'	mange	commence	appelle	m'appelle
tu	manges	commences	appelles	t'appelles
il/elle	mange	commence	appelle	s'appelle
nous	mangeons	commençons	appelons	nous appelons
vous	mangez	commencez	appelez	vous appelez
ils/elles	mangent	commencent	appellent	s'appellent

	ALLER	FAIRE	VENIR	LIRE	DORMIR
je	vais	fais	viens	lis	dors
tu	vas	fais	viens	lis	dors
il/elle	va	fait	vient	lit	dort
nous	allons	faisons	venons	lisons	dormons
vous	allez	faites	venez	lisez	dormez
ils/elles	vont	font	viennent	lisent	dorment

	DIRE	VOULOIR	POUVOIR	BOIRE	VOIR
je	dis	veux	peux	bois	vois
tu	dis	veux	peux	bois	vois
il/elle	dit	veut	peut	boit	voit
nous	disons	voulons	pouvons	buvons	voyons
vous	dites	voulez	pouvez	buvez	voyez
ils/elles	disent	veulent	peuvent	boivent	voient

2 2.1 Vivre et travailler à Evry

* *Mme Delort :* — S'il vous plaît, madame Richaud, qui est-ce ?

Une secrétaire : — C'est la dame, là-bas.

* *Mme Delort :* — Bonjour madame, je suis Sophie Delort, je suis...

Mme Richaud : — Ah ! Vous êtes la nouvelle secrétaire ! Enchantée. Nous travaillons ensemble. Le bureau devant la fenêtre est libre. Ça va ?

Mme Delort : — Oui, oui.

* *Mme Richaud :* — Il y a un travail urgent.

Mme Delort : — Oui, qu'est-ce que c'est ?

Mme Richaud : — Ce sont des lettres pour monsieur Arnaud.

Mme Delort : — Qui est monsieur Arnaud ?

Mme Richaud : — C'est le Chef des Ventes. Le papier et le carbone sont dans le tiroir. La machine marche bien mais ce n'est pas un modèle électrique.

* *Mme Delort :* — Bon. Je commence...

* *Mme Delort :* — Qu'est-ce que c'est ?

Mme Richaud : — C'est la sonnerie de midi. Je déjeune dans un restaurant derrière la mairie. Vous voulez venir ?

Mme Delort : — Oui, volontiers.

Madame Delort travaille avec madame Richaud.

[o][ɔ] Le carbone est dans le bureau.

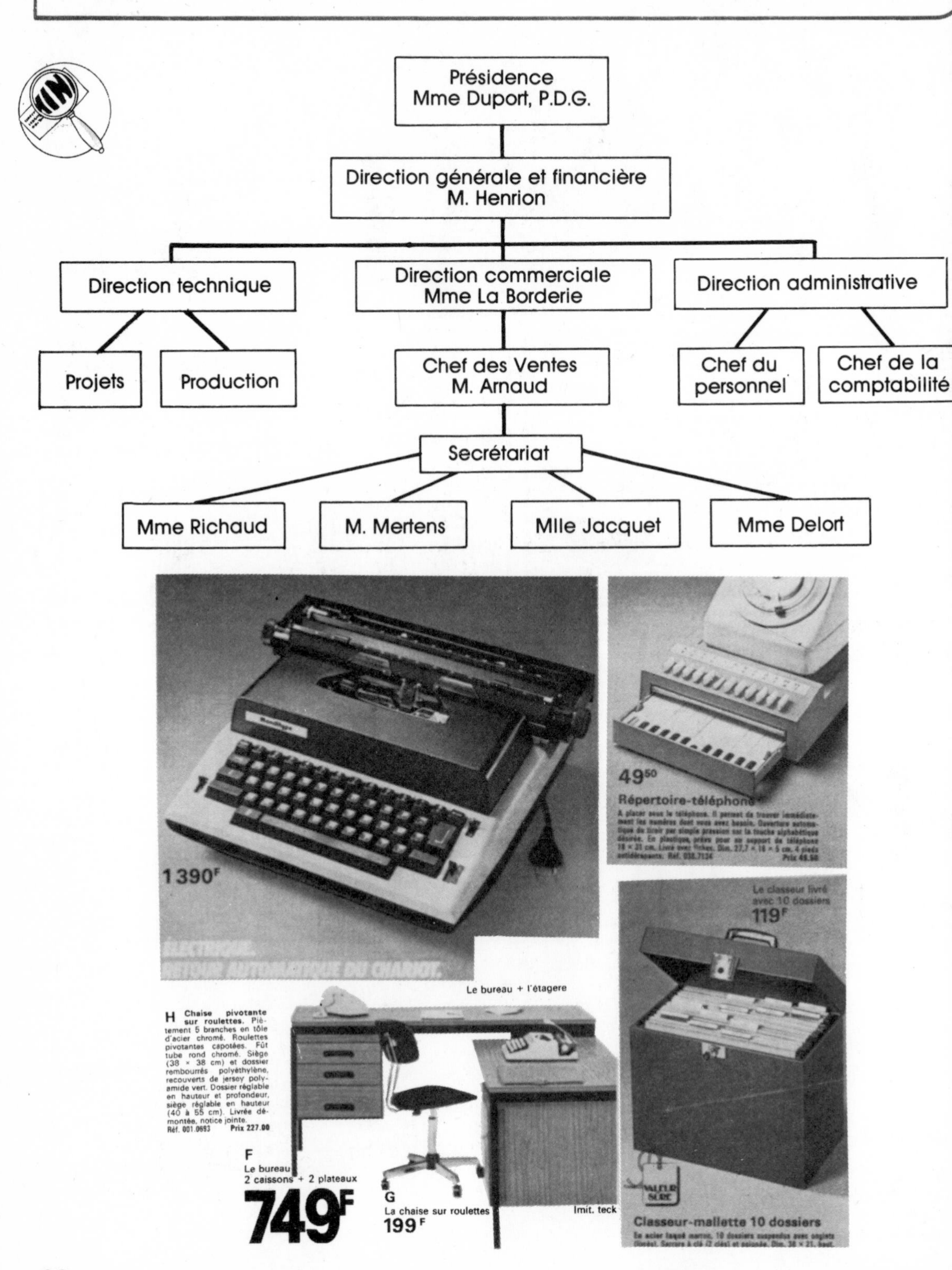

Présidence
Mme Duport, P.D.G.
Direction générale et financière
M. Henrion
Direction technique
Direction commerciale
Mme La Borderie
Direction administrative
Projets
Production
Chef des Ventes
M. Arnaud
Chef du personnel
Chef de la comptabilité
Secrétariat
Mme Richaud
M. Mertens
Mlle Jacquet
Mme Delort
1 390F
ÉLECTRIQUE.
RETOUR AUTOMATIQUE DU CHARIOT.
49,50
Répertoire-téléphone
Le classeur livré avec 10 dossiers
119F
Le bureau + l'étagère
H Chaise pivotante sur roulettes. Piètement 5 branches en tôle d'acier chromé. Roulettes pivotantes capotées. Fût tube rond chromé. Siège (38 × 38 cm) et dossier rembourrés polyéthylène, recouverts de jersey polyamide vert. Dossier réglable en hauteur et profondeur, siège réglable en hauteur (40 à 55 cm). Livrée démontée, notice jointe.
Réf. 001.0693 Prix 227.00
F
Le bureau
2 caissons + 2 plateaux
749F
G
La chaise sur roulettes
199F
Imit. teck
VALEUR SÛRE
Classeur-mallette 10 dossiers

VOCABULAIRE

• le matériel de bureau

le bureau, le siège *(la chaise, le fauteuil)*
le téléphone, la lampe, la machine à écrire... .
le tiroir, le classeur, le fichier, la corbeille à papier
les stylos, les crayons, la règle, la gomme...

• le lieu

devant - derrière, sur - sous
dans, à côté de

• les repas

le matin - le petit déjeuner
(déjeuner - prendre le petit déjeuner)
à midi - le déjeuner *(déjeuner)*
le soir - le dîner *(dîner)*
à minuit - le souper *(souper)*

GRAMMAIRE

1. l'interrogation sur l'objet

Questions	Réponses
Qu'est-ce que c'est... ?	c'est... ce n'est pas... + singulier ce sont... ce ne sont pas... + pluriel
Est-ce que c'est... ?	oui, c'est... non, ce n'est pas + singulier
Est-ce que ce sont... ?	oui, ce sont... non, ce ne sont pas... + pluriel (+ je ne sais pas)

2. l'interrogation sur la personne

Qui est M. Arnaud ?	c'est...
Qui est-ce ?	c'est... ce sont...
Qui es-tu ?	je suis...
Qui êtes-vous ?	je suis... nous sommes
	(+ je ne sais pas)

3. le féminin des adjectifs **ATTENTION**

masculin	nouveau	beau	vieux
masculin avant voyelle	nouvel	bel	vieil
féminin	nouvelle	belle	vieille

1. *Faites des phrases en commençant par c'est... ce n'est pas...*

ce sont... ce ne sont pas...

le chef des ventes
un petit bureau
des lettres urgentes
un travail urgent
des vieilles machines
des concierges sympathiques
un nouveau modèle
une machine électrique
la sonnerie de midi
des étudiants

2. *Recopiez et complétez avec le verbe être*

Le bureau ...... devant la fenêtre. Le papier et le carbone ...... dans le tiroir.
Madame Delort ...... la nouvelle secrétaire. Qui ...... monsieur Arnaud?
Qui ...... vous? Je ...... le nouveau Chef des Ventes.

3. *Nouveau - nouvelle - nouvel? Choisissez et écrivez*

c'est un nouveau sport — *c'est une nouvelle machine* — *c'est un nouvel hôtel*

programme - aéroport - restaurant - école - adresse - étudiant - docteur - infirmière - acteur

4. *Regardez l'organigramme de la page 36. Recopiez et complétez*

Le PDG de la société, qui est-ce?
C'est ....
Qui ...... Directeur Général et Financier?
....

Est-...... M. Arnaud est le Directeur Commercial?
....
Qui est dans le secrétariat de M. Arnaud?
Il y a ....

5. *Qu'est-ce que c'est?*

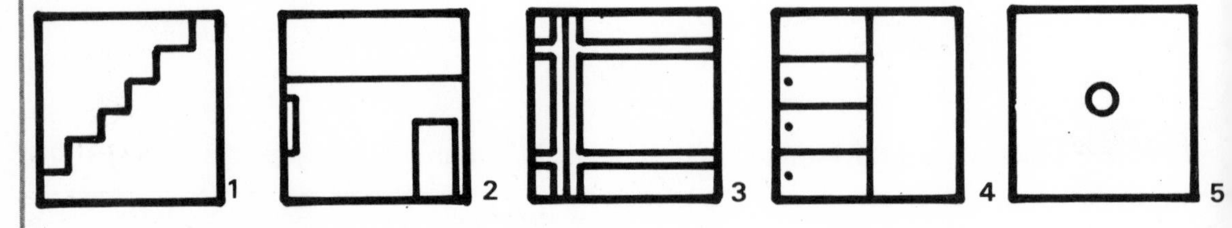

C'est un escalier ....

Réponses : *2. une maison 3. une fenêtre 4. un bureau 5. un tiroir*

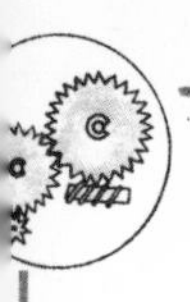

1.

Madame Richaud, Le Chef des Ventes, Monsieur Mertens, Jacques Martineau, Madame Duport,	**qui est-ce ?**	**C'est**	une secrétaire. M. Arnaud. un secrétaire. un pianiste. le PDG.

2.

Est-ce que	**c'est...**	le directeur ? la secrétaire ? un dentiste ? une vieille machine ? une nouvelle lampe ?	**Oui, c'est...** **Non, ce n'est pas...**	le directeur la secrétaire un dentiste une vieille machine une nouvelle lampe
	ce sont...	des secrétaires ? les directeurs ? les nouveaux bureaux ?	**Oui, ce sont...** **Non, ce ne sont pas...**	des secrétaires les directeurs les nouveaux bureaux

Qu'est-ce que c'est ? Répondez sur le modèle *C'est... (personnage ou animal) + dans... sur... devant...*

C'est un homme dans...

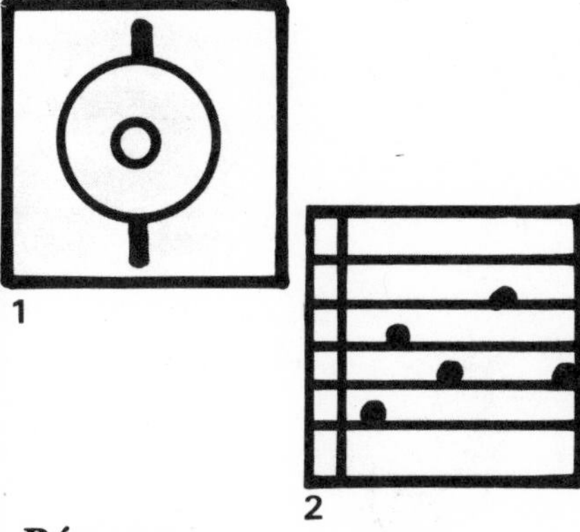

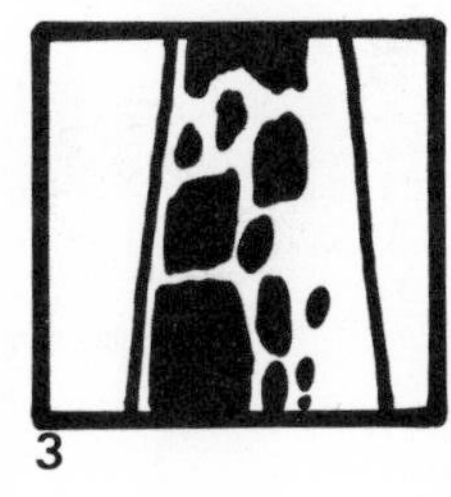

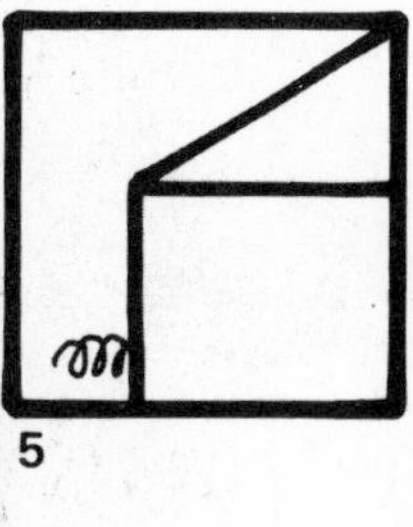

Réponses :

1. Un Mexicain sur un vélo.
2. Des oiseaux sur des fils électriques.
3. Une girafe devant une fenêtre.
4. Un rhinocéros dans un sac.
5. Un cochon derrière une maison.

Sur ces modèles, faites un dessin
Interrogez votre voisin(e)

Vous :	*qu'est-ce que c'est ?*
Lui/Elle :	*c'est...*
Vous :	*oui, c'est.../non, ce n'est pas...*

Est-ce que vous les reconnaissez ?

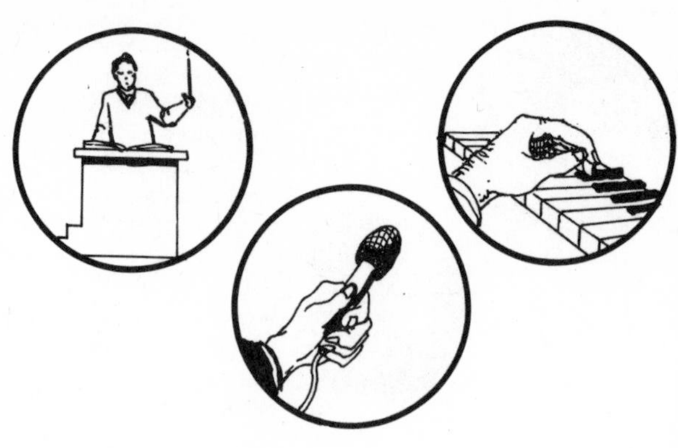

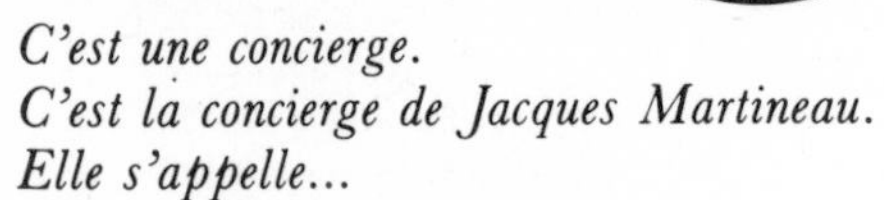

C'est une concierge.
C'est la concierge de Jacques Martineau.
Elle s'appelle...

Qui est-ce ? Jeu du portrait

votre voisin(e) : *c'est un homme ?* ***vous :*** *oui.../non...* ***lui/elle :*** *il est français ?...*

Qu'est-ce que c'est ? (Trouvez le pays, la ville, le lieu)

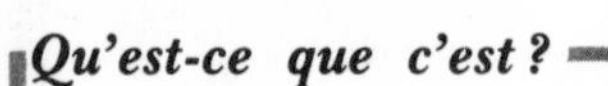

Qu'est-ce que c'est ?

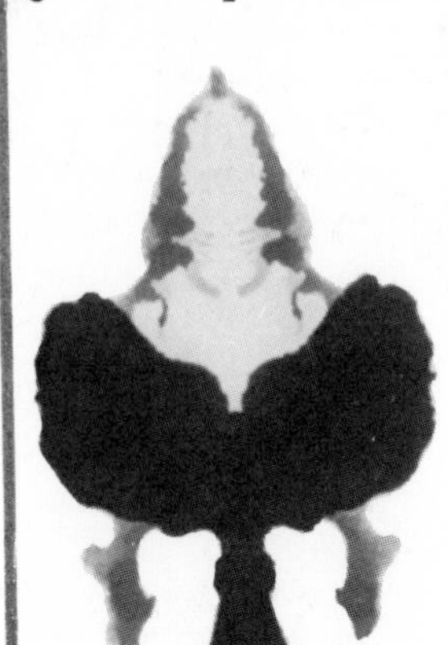

Dialoguez avec votr[e] voisin(e).

Donnez votre avis.

2.2 Au restaurant

Mme Richaud : — C'est un petit restaurant. Il y a une carte, un menu, et un plat du jour. C'est bon et pas cher.

(Dans le restaurant)

Mme Richaud : — Qu'est-ce qu'il y a aujourd'hui ?

Le garçon : — Le plat du jour, c'est du poulet au riz.

Mme Delort : — Pour moi, un plat du jour.

Le garçon : — Et pour vous ?

Mme Richaud : — Je voudrais un steak-frites.

Le garçon : — Bien, madame. Et comme boisson ? Du vin ?

Mme Delort : — Non, pas de vin pour moi.

Mme Richaud : — Alors de l'eau, s'il vous plaît. Une carafe.

Le garçon : — Et comme dessert, mesdames ? Crème caramel, fruit, glace ?

Mme Delort : — Pour moi, une crème caramel.

Mme Richaud : — Pas de dessert pour moi. Vous prenez du café ?

Mme Delort : — Oui.

Mme Richaud : — Alors deux cafés et l'addition, s'il vous plaît.

(Dans la rue)

* ***Mme Richaud :*** — On se dit « tu » ?

Mme Delort : — D'accord.

Mme Richaut : — Tu habites ici à Évry ?

Mme Delort : — Oui, à côté de l'« Agora »

Mme Richaud : — Tu es mariée ?

Mme Delort : — Divorcée.

Mme Richaud : — Et tu vis seule ?

Mme Delort : — Oui.

Mme Richaud : — Tu es libre samedi soir ? Tu veux dîner chez nous ?

Mme Delort : — Je veux bien, c'est sympa.

[i] — Sophie, veux-tu dîner chez nous ?

— Oui, merci.

[e] — Alors rendez-vous samedi à huit heures et demie.

MENUS DE LA SEMAINE :

menu minceur

Petit déjeuner : une biscotte
thé au citron

Déjeuner : salade verte
poulet
une pomme

Dîner : potage de légumes
fromage (yaourt)

pour les copains

salade niçoise, pizza, jambon cru, fromage, tarte aux pommes, beaujolais

pour la famille

salade de tomates,
charcuterie,
lapin aux champignons,
fromage,
glace,
bordeaux

en tête à tête

huîtres
steak au poivre,
gâteau au chocolat, champagne

PLATS RÉGIONAUX FRANÇAIS :

Le cassoulet
(Aquitaine)
haricots blancs, charcuterie

La bouillabaisse
(Provence)
poissons, pommes de terre, pain, ail, épices

La fondue savoyarde
(Savoie et Dauphiné)
fromage, ail, vin blanc
pain

VOCABULAIRE

- **les repas en France**

Au petit déjeuner, on mange : des biscottes, des croissants, du pain, du beurre, de la confiture.
on boit : du café, du thé, du lait, du chocolat.
Au déjeuner ou au dîner, on mange : hors-d'œuvre (ou entrée), plat (viande ou poisson), légume, fromage, dessert.
on boit : de l'eau, du vin, de la bière.

- **État civil :** célibataire marié(e) divorcé(e) veuf (veuve)

GRAMMAIRE

1. l'article partitif : du, de la, de l', des

C'est **un** veau

C'est **du** veau
(article partitif)

		devant une consonne	devant une voyelle
Singulier	*Masculin*	**du** poulet	**de** l'eau
	Féminin	**de la** viande	
Pluriel	*Masculin Féminin*	**des** frites	

2. la négation et l'article partitif :

Il prend... du vin, de la viande, des haricots, du dessert, de la salade, de l'eau

Il ne prend pas de... vin, viande, haricots, dessert, salade
pas d'... eau

3. ON = NOUS

On déjeune ensemble ? = nous déjeunons ensemble ? On se dit « tu » ? = nous nous disons « tu » ?

4. conjugaison :

PRENDRE
je prends tu prends il/elle/on prend nous prenons vous prenez ils/elles prennent

VIVRE
je vis tu vis il/elle/on vit nous vivons vous vivez ils/elles vivent

5. le pronom personnel complément (après préposition)

pour / **chez** } moi - nous / toi - vous

1. *Du, de la, de l', des. Choisissez :*

Est-ce que vous voulez . . . . . . cafés ? – *Non, nous ne prenons pas . . . . . . café, nous buvons . . . . . . chocolat.*

Est-ce que vous buvez . . . . . . bière ? — *Non, je préfère . . . . . . eau.*

Vous voulez . . . . . . frites ? — *Non, je veux . . . . . . salade.*

Voulez-vous . . . . . . confiture ? — *Non, je préfère . . . . . . beurre.*

2. *prendre — vouloir — vivre*

Choisissez et complétez en mettant le verbe à la forme qui convient :

Madame Richaud ne . . . . . . pas seule.
Nous . . . . . . du travail.
Je ne . . . . . . pas travailler le samedi.
On . . . . . . du vin ?
Ils préfèrent . . . . . . à la campagne.
Est-ce que vous . . . . . . l'addition ?
Au petit déjeuner, elles . . . . . . du thé.

3. *Complétez avec un article défini ou partitif :*

— *J'aime beaucoup . . . . . . musique.*
— *Est-ce qu'il y a . . . . . . musique chez toi ?*
— *Est-ce que vous faites . . . . . . sport ?*
— *Oui, j'aime beaucoup . . . . . . sport.*
— *Je n'ai pas . . . . . . travail aujourd'hui.*
— *. . . . . . travail pour M. Arnaud est urgent*
— *. . . . . . papier est dans le tiroir.*
— *Je veux . . . . . . papier pour machine.*

4. *Yves et Martine sont au restaurant. Qu'est-ce qu'ils prennent ?*

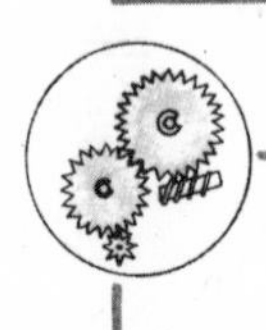

il/elle/on	prend	de l'eau de la viande du poulet un dessert des frites
ils/elles	prennent	

il/elle/on	ne	prend	pas	d'eau
ils/elles		prennent		de viande de café de frites

Jacques déjeune au self-service. Qu'est-ce qu'il prend?

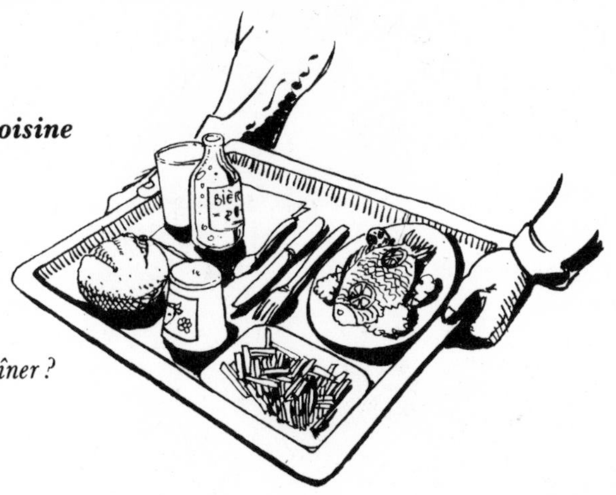

Interrogez votre voisin ou votre voisine

— *Qu'est-ce que vous prenez au petit déjeuner?*

— *Que prend un Allemand, un Anglais, un Américain... au petit déjeuner, au déjeuner, au dîner?*

Dites ce que vous aimez et ce que vous n'aimez pas. Demandez à votre voisin(e) ce qu'il aime. Choisissez votre menu et passez votre commande

Les Salades

SALADE DE TOMATES *Tomatoes salad* — Tomaten Salat	800
SALADE DE SAISON *Salad according to season* — Salat nach Jahrezeit	800
SALADE MIXTE *Mixed salad* — Gemischte Salat	1200
SALADE MAITRE D'HOTEL Laitue, gruyère, jambon, tomates *Lettuce, Swiss cheese, ham, tomato* Salat, Schweizerischer Käse, Schinken, Tomaten	2000
SALADE SPÉCIALE Laitue, tomate, gruyère, œuf dur, thon *Lettuce tomato, Swiss cheese, hard boiled egg, tunny fish* Salat, Tomaten, Schweizerischer Käse, Hart gekochtes Ei, Tunfisch	2400
SALADE DU CHEF Laitue, tomate, haricots verts, cervelas, oignon *Lettuce, tomato, french beans, saveloy, onions* Salat, Tomaten, grüne Bohnen, Schlackwurst, Zwiebeln	1700
SALADE " MISTRAL " Salade, crudités, gruyère, pommes fruits *Salade, raw vegetables, Swiss cheese, apples* Salat, Rohkost, Schweizerischer Käse, Äpfeln	2200
SALADE AUVERGNATE Salade, jambon de Pays, Cantal, pommes à l'huile *Salade, country ham, Cantal cheese, potatoes salad* Salat, Landschinken, Cantal Käse, Kartoffeln Salat	2800
....	....
....	....

Glaces et Desserts

Toutes les tartes sont fabrication " MAISON "
Our tarts are home made – Unsere Torte sind Heimgemacht

TARTE AUX POMMES *Apple tart* — Apfel Torte	1200
TARTE AUX FRUITS *Fruit tart* — Obst Torte	1200
TARTE TATIN *Tatin tart* — Tatin Torte	1500
TARTE A L'ORANGE *Orange tart* — Orange Torte	1500
TARTE AUX CITRONS *Lemon tart* — Zitrone Torte	1500
PATISSERIES, AMANDINES *Pastries* — Klein Kuchen	450
FRUITS DE SAISON *Fruits* — Obst	450
CONFITURE *Jam* — Konfitüre	450
CREME CARAMEL *Caramel cream* — Karamel Kreme	850
MOUSSE AU CHOCOLAT *Chocolate foam* — Schokolade Schaum	850
....	....

Plats garnis

STEAK (Bavette) *Steak* — Steak	2300
HAMBURGER *Hamburger* — Hamburger	2200
FAUX-FILET ÉCHALOTES *Sirloin with shallots* — Ochsenstück mit Schallotte	3000
ESCALOPE PANÉE *Veal scallop* — Wiener Schnitzel	2800
COTE DE PORC *Pork chop* — Schwein Kotelette	2200
FILET DE BŒUF AU POIVRE *Beef fillet with pepper sauce* — Ochsen Filete mit Pfeffer Sosse	4100
CHOUCROUTE *Sauerkraut* — Sauerkraut	2400
....	....

EN SAISON

FRAISES AU SUCRE *Strawberries with sugar* — Erdbeeren mit Zucker	....
FRAISES CHANTILLY *Strawberry with whipped cream* — Erdbeeren mit Schlagsahne	....
ANANAS FRAIS AU KIRSCH *Pineapple with Kirsch* — Ananas mit Kirschwasser	....

———

ANANAS SPLIT	2000
BANANA SPLIT	2000
PECHE MELBA	1600

— Est-ce que vous aimez ?

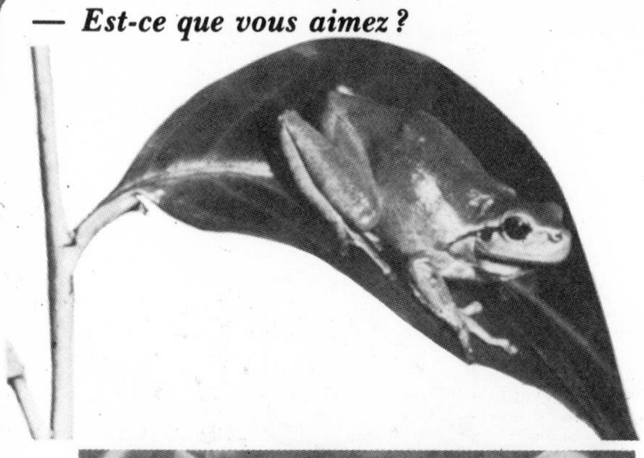

La choucroute ***(Alsace)***
chou, charcuterie, pommes de terre

Jeu de rôle : le garçon et le client

le client : *la choucroute qu'est-ce que c'est ?*
le garçon : *c'est du chou avec de la...*

Décrivez un plat de votre pays. Invitez votre voisin(e) à goûter un plat de votre pays.

Tu es libre...? (lundi, mardi...) oui..., non...
Tu veux venir... (déjeûner, dîner...)
Tu aimes le/la...?

Interrogez-le (la)... (sans être indiscret !)

— Tu es... (célibataire, marié) ?

2.3 Chez le boucher

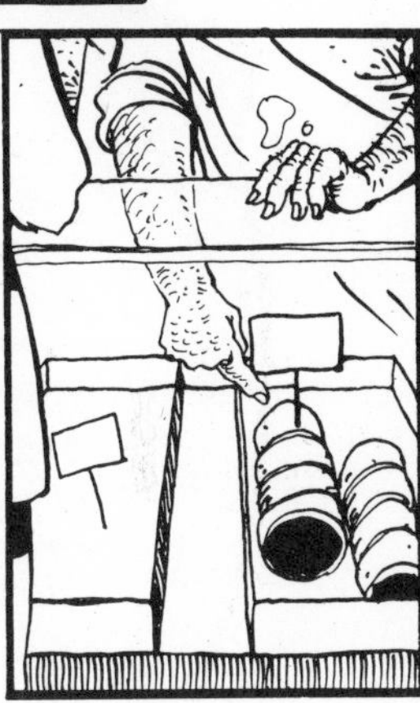

Elle : — Tu viens avec moi à la boucherie ?

Lui : — D'accord.

Le boucher : — A vous, madame Richaud. Vous désirez ?

Elle : — Combien coûtent les côtelettes d'agneau ?

Le boucher : — 50 francs le kilo.

Elle : — Bon, alors je voudrais quatre côtelettes.

Le boucher : — Voilà — 600 grammes... 30 francs.

Lui : — On achète un rôti pour le dîner de samedi ?

Elle : — Bonne idée — Vous avez du rôti de veau ?

∗ ***Le boucher :*** — Non, je n'ai plus de veau, mais j'ai encore un rôti de porc.

Elle : — Bon, d'accord.

Le boucher : — Pour combien de personnes ?

Elle : — Cinq.

Le boucher : — Voilà un beau rôti. Il pèse 1,200 kg — Et avec ça ?

Elle : — C'est tout. Ça fait combien ?

Le boucher : — 30 et 66, ça fait 96 francs.

∗ ***Elle :*** — Tu payes, chéri ?

∗ ***Lui :*** — Une seconde... Zut ! Je n'ai plus d'argent !

∗ ***Elle :*** — Alors je fais un chèque. Tu peux prendre ça ? Merci.

[ɛ]

[e]

— Qu'est-ce que vous désirez ?

— Quatre belles côtelettes

— Tu peux payer, chéri ?

— Oui, je peux faire un chèque.

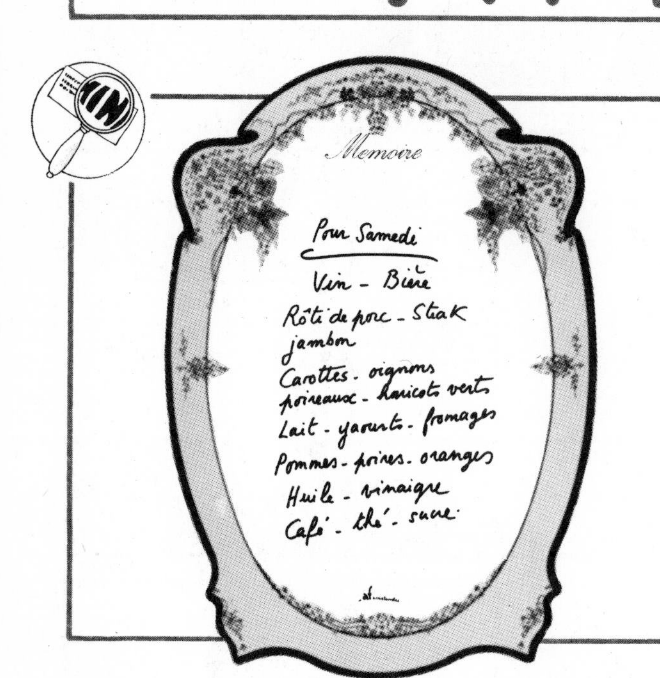
Memoire

Pour Samedi

Vin - Bière
Rôti de porc - Steak
jambon
Carottes - oignons
poireaux - haricots verts
Lait - yaourts - fromages
Pommes - poires - oranges
Huile - vinaigre
Café - thé - sucre

Rien que des viandes fraîches
NI CONGELÉES, NI SURGELÉES

ROGER

PRIX DE VENTE HABITUELS Garantis jusqu'au 20/12/1981	le kg
Faux-filet	45,00 F
Rumsteck	43,00 F
Entrecôte	43,00 F
Noix de veau	46,00 F
Escalope	50,00 F
Epaule d'agneau	28,00 F
Côtes 1ère agneau	38,00 F
Côtes 1ère porc	25,00 F
Saucisson ail	15,00 F
Pintade	16,00 F

VOCABULAIRE

- **l'argent**

les billets :

500 F

100 F

50 F

20 F

la monnaie (les pièces de monnaie) :
10 F, 5 F, 2 F, 1 F, 0,50 F (francs).
50 c, 20 c, 10 c, 5 c (centimes).

CB carte bleue

les autres moyens de paiement :
les chèques, les cartes de crédit.

• commerces (magasins), commerçants et articles

la boucherie	la boulangerie	la charcuterie	l'épicerie	la crèmerie
le boucher la bouchère	le boulanger la boulangère	le charcutier la charcutière	l'épicier l'épicière	le crémier la crémière
viande, volaille	pain, pâtisserie, confiserie	charcuterie, conserves	alimentation générale, conserves, fruits-légumes, boissons	beurre, œufs, fromage, lait, produits laitiers

la pharmacie	la droguerie	le bureau de tabac	la librairie
le pharmacien la pharmacienne	le/la droguiste	le/la buraliste	le/la libraire
médicaments, produits de beauté	produits d'entretien	tabac, cigarettes, timbres, articles pour fumeurs, cartes postales	livres, journaux, article de papete- rie, cartes postales

• acheter - vendre

le client, la cliente
l'acheteur, l'acheteuse

le marchand, la marchande
le vendeur, la vendeuse
le commerçant, la commerçante

GRAMMAIRE

1. conjugaison

VENDRE	ACHETER	PAYER
je vends	j' achète	je paie/paye
tu vends	tu achètes	tu paies/payes
il/elle/on vend	il/elle/on achète	il/elle/on paie/paye
nous vendons	nous achetons	nous payons
vous vendez	vous achetez	vous payez
ils/elles vendent	ils/elles achètent	ils/elles paient/payent

2. encore - ne...plus

il y a encore du pain
j'ai encore de l'argent
le boucher a encore du bœuf

il n'y a plus de pain
je n'ai plus d'argent
il n'a plus de veau

3. au - chez

au / ***à la*** / ***à l'*** + nom du commerce	***chez le*** / ***chez la*** / ***chez l'*** + nom du commerçant
au bureau de tabac à la pharmacie à l'épicerie	chez le boulanger chez la droguiste chez l'épicier

4. interrogation sur le poids et le prix

	question	**réponse**
prix	Ça coûte combien ? Combien (est-ce que) ça coûte ?	Ça coute... 25 F Ça fait... 10,50 F
poids	Combien pèse le rôti ? Il pèse combien, le rôti ?	Il pèse... 500 g Il fait... 1,6 kg

1. *Qu'est-ce qu'on achète ? Recopiez et complétez.*

1. Chez l'épicier, on achète du sucre, ...
2. A la . . . . , ... de l'aspirine . . . .
3. . . . . . . la boulangère, ...
4. . . . . , ... des cigarettes . . . .
5. . . . . boucher, ...
6. . . . . . . crémerie, ...

2. *Écrivez ces prix selon le modèle :*

23,50 F = 23 francs et 50 centimes.

18,25 F - 130 F - 47,80 F - 1 630 F - 123,50 F - 3 812 F

3. *Aidez-le à faire les courses !*

Le café, c'est à l'épicerie (chez l'épicier...), les cigarettes...

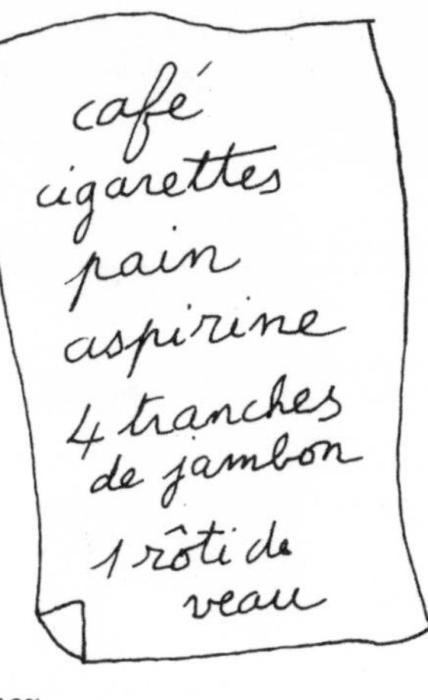

café
cigarettes
pain
aspirine
4 tranches de jambon
1 rôti de veau

4. *Faites votre liste de courses pour la semaine*

5. *Beau - belle - bel ? Choisissez et écrivez*

c'est une belle machine

c'est un beau rôti

c'est un bel hôtel

bureau - machine - magasin - librairie - aéroport - escalier - maison - acteur - programme.

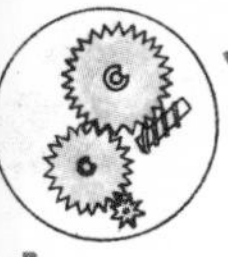

	vous voulez...	vous demandez le prix...	[le commerçant répond...
je voudrais	du fromage	C'est combien les 100 g ?	C'est 3 F les 100 g.
	de la viande	C'est combien le kilo ?	C'est 50 F le kilo.
	de l'huile	C'est combien la bouteille ?	C'est 9 F la bouteille.
	des cigarettes	C'est combien le paquet ?	C'est 7 F le paquet.]

Faites parler le client et le marchand

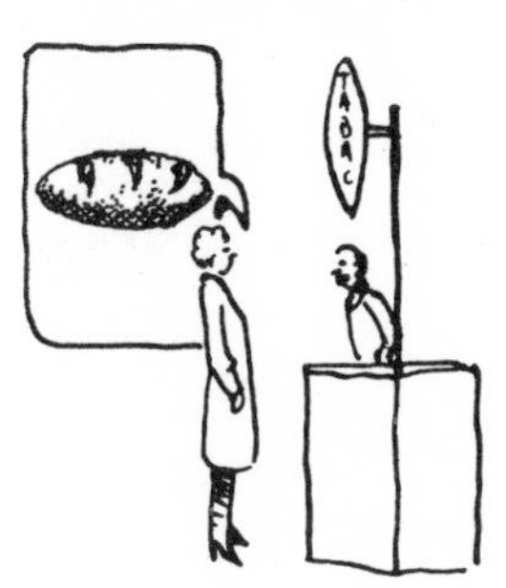

— *Je voudrais du vin s'il vous plaît.*
— *Vous voulez du vin ! Je ne vends pas de vin, ici c'est une crémerie, ce n'est pas une épicerie.*

vous avez 100 F, vous avez 200 F, vous avez 300 F
Qu'est-ce que vous achetez ? Passez votre commande : *Je voudrais...*

PETITS POIS LEBRETON extra fins, le lot de 2 boîtes 4/4	9,95
HARICOTS VERTS DOMAINE DE LA BORDE extra fins, la boîte 4/4	8,45
CŒURS DE PALMIER MADREITA importé du Brésil, la boîte 500 g net égoutté	9,95
CŒURS D'ARTICHAUTS LES DELECTABLES importé d'Espagne, le lot de 2 boîtes 200 g net égoutté	7,90
FONDS D'ARTICHAUTS LES DELECTABLES importé d'Espagne, le lot de 2 boîtes 200 g net égoutté	9,55
CHAMPIGNONS DE PARIS LA MAISON 1er choix le lot de 3 boîtes 1/4	8,60
FLAGEOLETS VAL DE LOIRE la boîte 4/4	4,85
ASPERGES HOLCO importées de Hollande, le bocal 72 cl 425 g net égoutté	14,70
ASPERGES PIC NIC PIQUIO importées de Formose, le lot de 3 boîtes 1/4	12,95
OLIVES VERTES GRODYN dénoyautées, le sachet 320 g net égoutté	4,50
SAUMON PINK SOCRA au naturel, importé d'URSS la boîte 185 g net égoutté	6,50
CRABE KING KILDA importé d'URSS, la boîte 185 g net égoutté	18,95
MIETTES DE CRABES au naturel grade B, importées de Thaïlande, la boîte 127 g net égoutté, le lot de 2	11,25
CREVETTES PIQUIO décortiquées cocktail, importées de Thaïlande, la boîte 127 g, net égoutté, le lot de 2	9,65
COQUILLES ST JACQUES AROK préparées, la boîte 1/4 + 3 coquilles vides	12,40
FOIE DE MORUE COOK le lot de 2 boîtes 1/6	6,30
DÉLICE DE FOIE DE VOLAILLE RECAPET au madère, le rouleau 320 g	3,95
PARFAIT DE FOIE LAFOREST PÉRIGORD à l'oie, le rouleau 320 g	6,75
CACAHUÈTES SPLIT le lot de 2 sachets de 250 g	10,80
SPÉCIALITÉS APÉRITIVES SOUFFLÉS SPLIT au fromage, à la tomate, à la cacahuète ou fumé au choix, le lot de 3 sachets de 60 g	3,90
SAUCISSES COCKTAIL TULIP le lot de 2 boîtes 125 g	6,25
VIN ROUGE BORDEAUX Appellation contrôlée, la bouteille 75 cl	7,25
VIN ROUGE SAINT EMILION Appellation contrôlée Château la Croizille 1979, la bouteille 75 cl	21,5
VIN ROUGE CÔTES DU RHÔNE Appellation contrôlée, la bouteille 75 cl	6,5
VIN ROUGE BEAUJOLAIS VILLAGES Appellation contrôlée, la bouteille 75 cl	10,7
VIN BLANC MUSCADET Sèvres et Maine sur lie, appellation contrôlée Domaine de Viaud, la bouteille 75 cl	9,2
VIN BLANC GROS PLANT vin délimité de qualité supérieure BEAUQUIN, la bouteille 75 cl	6,4
VIN BLANC d'Alsace Sylvaner appellation contrôlée, la bouteille 70 cl	9,9

Faites-les parler : demandez les articles, les prix...

— *Je voudrais 2 kg de pommes de terre s'il vous plaît.*
— *Et avec ça ? ... 1 salade... 1 litre d'huile...*
— *Je n'ai plus d'huile...*
— *Ça fait combien ? etc.*

Allez faire des courses avec votre voisin(e) :

Vous :	*Tu viens avec moi à la .... chez le .... ?*
Lui :	*Oui, qu'est-ce que tu veux acheter ?*
Vous :	*Je voudrais .... Tu peux payer ?*
Lui :	*Oui, j'ai de l'argent. Non ....*

2.4 Il faut ranger le salon

La mère : — Qu'est-ce que tu fais, Didier ?
Le fils : — Je travaille.
La mère : — Il faut ranger ces affaires. Nous attendons une invitée ce soir.
Le fils : — Qui est-ce ?
La mère : — C'est une collègue de bureau.
La mère : — A qui est ce pull ? A ta sœur ?
Le fils : — Non, il n'est pas à elle. Il est à son amie Brigitte.
La mère : — Et cet appareil photo, il est à qui ?
Le fils : — A mon copain Gilles.
La mère : — C'est ton blouson de cuir ça ?
Le fils : — Oui.
La mère : — Tu fumes Didier ?
Le fils : — Non maman.
La mère : — Et ces cigarettes, à qui elles sont ? A toi ?
Le fils : — Non. Elles sont à papa.
La mère : — Ton père ne fume pas de blondes.
Le fils : — Alors elles sont à Brigitte... ou à Gilles.
* *La mère :* — Et ces allumettes dans la poche de ton blouson, elles sont à Brigitte ou à Gilles !

Ce pull est à son amie. C'est une collègue

liaisons : Cet appareil photo n'est pas à moi.

Et ces allumettes, elles sont à toi ?

Ma chère Maman,
Je suis à Montpellier. C'est
une belle ville. J'apprends
le français. Mes professeurs
sont sympathiques. Cet après-
midi nous allons à la plage
et ce soir au cinéma. Mon hôtel
est derrière cette belle place.
A bientôt. Je t'embrasse.
Ton fils

VOCABULAIRE

• les vêtements

pantalon - pull-over - chandail - gilet - short - jean - robe - jupe - chemise - chemisier - veste - blouson - manteau - imperméable - bas - chaussettes - slip - tee-shirt - soutien-gorge - collant - souliers - chaussures - bottes - écharpe...

• les matériaux

un blouson **de** cuir - un blouson **en** cuir
en cuir - en laine - en coton - en nylon...

une table **en** bois - une table **de** bois -
en bois - en verre - en fer - en pierre...

• la famille et les amis

a) les parents

la mère (Colette Richaud)
(la femme de Pierre)

le père (Pierre Richaud)
(le mari de Colette)

b) les enfants

le fils (Didier Richaud)
(le frère d'Isabelle)

la fille (Isabelle Richaud)
(la sœur de Didier)

c) les amis

Gilles

(le copain/l'ami de Didier Richaud).

Sophie Delort
la collègue de Mme Richaud
— elles travaillent ensemble —
et sa nouvelle amie .

Brigitte

(la copine/l'amie d'Isabelle).

• Être (1 mot - 3 sens)

1. Mme Delort est la nouvelle secrétaire. *(C'est la nouvelle secrétaire).*
2. Le bureau est devant la fenêtre. *(Il se trouve devant la fenêtre).*
3. Le pull est à Brigitte. *(C'est le pull de Brigitte. Il appartient à Brigitte).*

GRAMMAIRE

1. adjectifs démonstratifs

singulier	*masculin*	**ce**	ce blouson
		cet	cet appareil
	féminin	**cette**	cette carte postale
pluriel	*masculin*	**ces**	ces blousons
	féminin		ces cigarettes

2. adjectifs possessifs

		(à moi)	*(à toi)*	*(à lui/à elle)*	
singulier	*masculin*	**mon**	**ton**	**son**	mon/ton/son copain
	féminin	**ma**	**ta**	**sa**	ma/ta/sa copine
	avant voyelle	**mon**	**ton**	**son**	mon/ton/son ami mon/ton/son amie
pluriel		**mes**	**tes**	**ses**	mes/tes/ses cigarettes

3. pronoms personnels compléments (après préposition)

	singulier	
1re personne	**moi**	Elle travaille *avec* moi.
2e personne	**toi**	Je vais *chez* toi.
3e personne	**lui/elle**	Il marche *devant* elle. Elle marche *derrière* lui.

4. l'interrogation sur l'appartenance

A qui est ce blouson ? Il est à lui.
A qui sont ces cigarettes ? Elles sont à lui.

5. l'obligation

Il faut + infinitif { Il faut travailler. / Il faut payer. / Il faut venir chez nou

1. *Ce, cette... Mon, ton, son... Choisissez et écrivez :*

Ex. : Ces cigarettes, ce sont mes cigarettes

cigarettes (à moi) - hôtel (à lui) - magasin (à moi) - appareil (à toi) - robe (à elle) - allumettes (à toi) - chaussures (à lui) - adresse (à elle) -

2. *Mon-ton-son/ma-ta-sa. Quels sont les possessifs qui peuvent convenir :*

frère - sœur - copine - père - mère - ami - amie - étudiante - professeur.

3. *Écrivez au singulier et faites une phrase selon le modèle :*

mes amies → (souriant) : mon amie est souriante.
ses invitées → (content) : . . . .
ses appareils → (vieux) : . . . .
mes frères → (grand) : . . . .
tes voisines → (petit) : . . . .
ses photos → (vieux) : . . . .

4. *Recopiez et complétez avec l'adjectif démonstratif qui convient :*

Qui est . . . . . . dame ? . . . . . . appareil est japonais . . . . . . vêtements ne sont pas chers.
Elles sont à qui, ... cigarettes ? Tu aimes . . . . . . musique ? J'habite dans . . . . . . hôtel.

5. *Recopiez et complétez avec l'adjectif possessif qui convient :*

— *Brigitte, c'est l'amie d'Isabelle ?*
— *Oui, c'est . . . . . . amie.*
— *Elle habite Évry ?*
— *Oui, elle habite chez . . . . . . parents.*
— *Quelle est . . . . . . adresse ?*

6. *A qui est-ce ? Écrivez :*

Ce pull est à ....

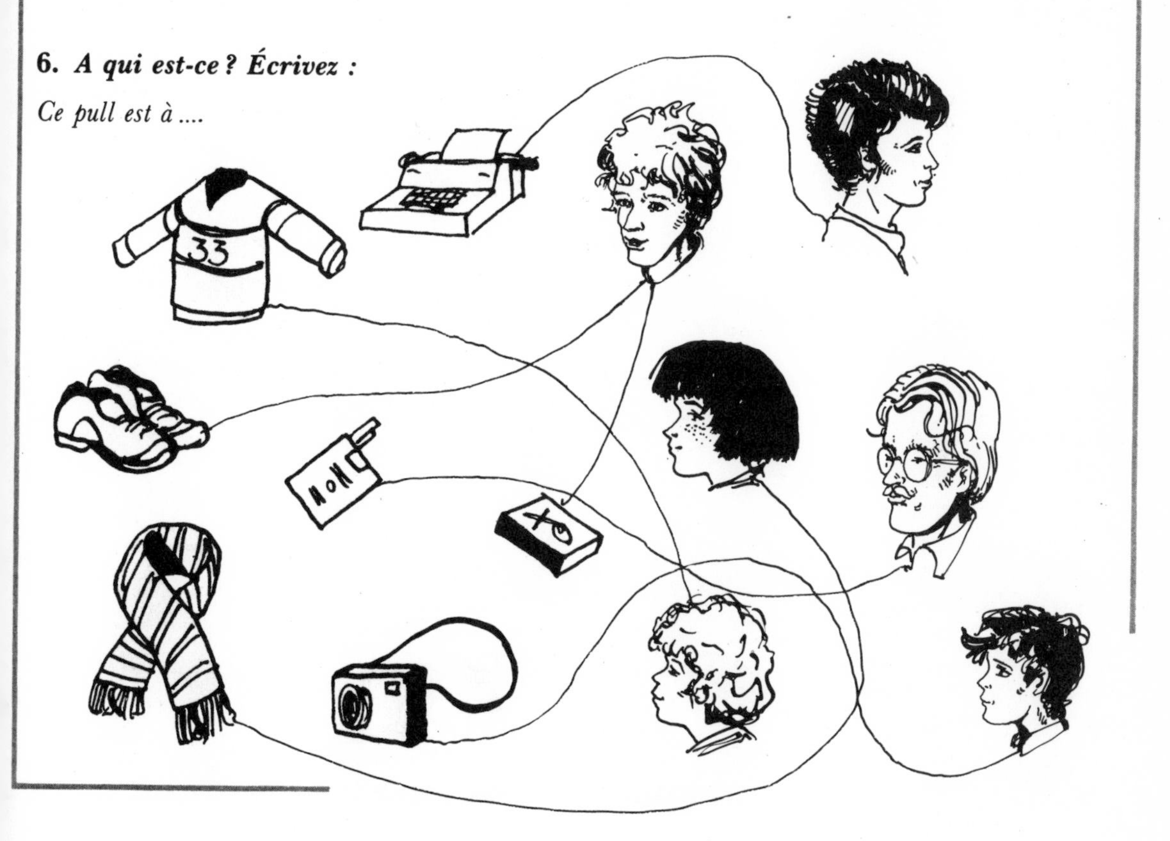

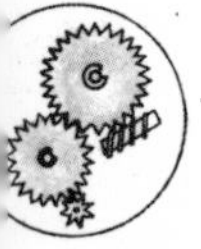

A qui					
	est	ce pull ? cet appareil ? cette veste ?	A moi. A Gilles. A lui.	A toi ? A Gilles ? A lui ?	Oui, c'est mon pull. Oui, c'est son appareil. Oui, c'est sa veste.
	sont	ces allumettes ? ces chaussures ?	A elle. A mon père.	A elle ? A ton père ?	Oui, ce sont ses allumettes. Oui, ce sont ses chaussures.

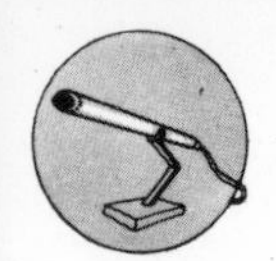

Qui est-ce ? *C'est M. Richaud et son fils...*

Continuez

Au voleur !

Jouez la scène

le voleur :	*Ce violon est à moi.*
la victime :	*Non, ce n'est pas ...... violon, c'est ...... violon !*
un témoin :	*C'est vrai ! ce violon n'est pas à lui, il est ...... violoniste.*

« Volez » un objet à votre voisin(e) et dialoguez :

vous :	*Ce stylo, ce manteau ...... est à moi !*
lui :	*Non, ...*
un autre :	*C'est vrai ! ......*

2.5 L'apéritif

1. Richaud : — Alors vous aimez notre ville madame Delort ?

ophie : — Vous pouvez m'appeler Sophie.

1. Richaud : — Alors vous pouvez m'appeler Pierre.

ophie : — Oui, j'aime beaucoup Évry. C'est une ville agréable et j'aime bien l'architecture moderne.

1. Richaud : — Et votre travail, ça marche ?

ophie : — Oui, je suis contente, ça marche bien.

olette : — Et ses collègues sont sympa.

ierre : — Vous avez des enfants, Sophie ?

ophie : — J'ai un fils. Il vit chez mes parents à Reims. Et vos enfants, ils ne sont pas là ?

* *Colette :* — Ils sont dans leur chambre. Ils font leurs devoirs.

* *Pierre :* — Bon. On prend un apéritif !

Pierre : — Qu'est-ce que vous prenez ? Du jus d'orange, du jus de raisin, du jus d'abricot, du jus de pomme, du whisky ?

* Ah non, il n'y a plus de whisky. La bouteille est vide.

Sophie : — Alors, du jus de pomme.

* *Sophie :* — Qu'est-ce que vous faites dans la vie, Pierre ?

Pierre : — Je suis représentant. Je vends des jus de fruit.

Sophie : — Ah, je comprends...

[ã]

Les enfants sont dans leur chambre.

On prend un jus d'orange ?

Pierre est représentant.

FICHE FAMILIALE D'ETAT CIVIL
et de nationalité française (1)

dressée en application du décret du 26 septembre 1953 modifié par le décret du 22 mars 1972 (J.O. du 23 mars) et l'arrêté du 22 mars 1972 (J.O. du 23 mars 1972) modifié par l'arrêté du 15 mai 1974 (J.O. du 18 mai 1974).

NOM (2) : LECLERC
(Nom de jeune fille pour les femmes mariées, veuves ou divorcées)

Prénom (s) : Colette - Françoise - Marie
(Au complet dans l'ordre de l'état civil)

Né (e) le 6 MARS 1946
(Le mois doit être inscrit en toutes lettres)

à Paris (2e)
(Commune et département. Pour Paris et Lyon, indiquer l'arrondissement)

de LECLERC Charles - Edmond
(Nom et prénoms du père) (3)

et de LECLERC Thérèse née MARTIN
(Nom et prénoms de la mère) (3)

Marié (e) le 4 Juillet 1966

à Paris (13e)
(Commune et département. Pour Paris et Lyon, indiquer l'arrondissement)

Conjoint : RICHAUD Pierre - Henri
(Nom (2) et prénom (s).)

Né (e) le 9 Juin 1941

à Chartres (Eure et Loir)

Observations (4) :

LE MALADE IMAGINAIRE.

PERSONNAGES

ARGAN, malade imaginaire.
BÉLINE, seconde femme d'Argan.
ANGÉLIQUE, fille d'Argan et amante de Cléante.
LOUISON, petite fille[1] d'Argan et sœur d'Angélique.
BÉRALDE, frère d'Argan.
CLÉANTE, amant d'Angélique.
MONSIEUR DIAFOIRUS, médecin.
THOMAS DIAFOIRUS, son fils et amant d'Angélique.
MONSIEUR PURGON, médecin d'Argan.
MONSIEUR FLEURANT, apothicaire.
MONSIEUR BONNEFOY, notaire.
TOINETTE, servante.

La scène est à Paris.

1. *Petite fille* signifie ici *fillette*.

VOCABULAIRE

- **la famille** (suite)

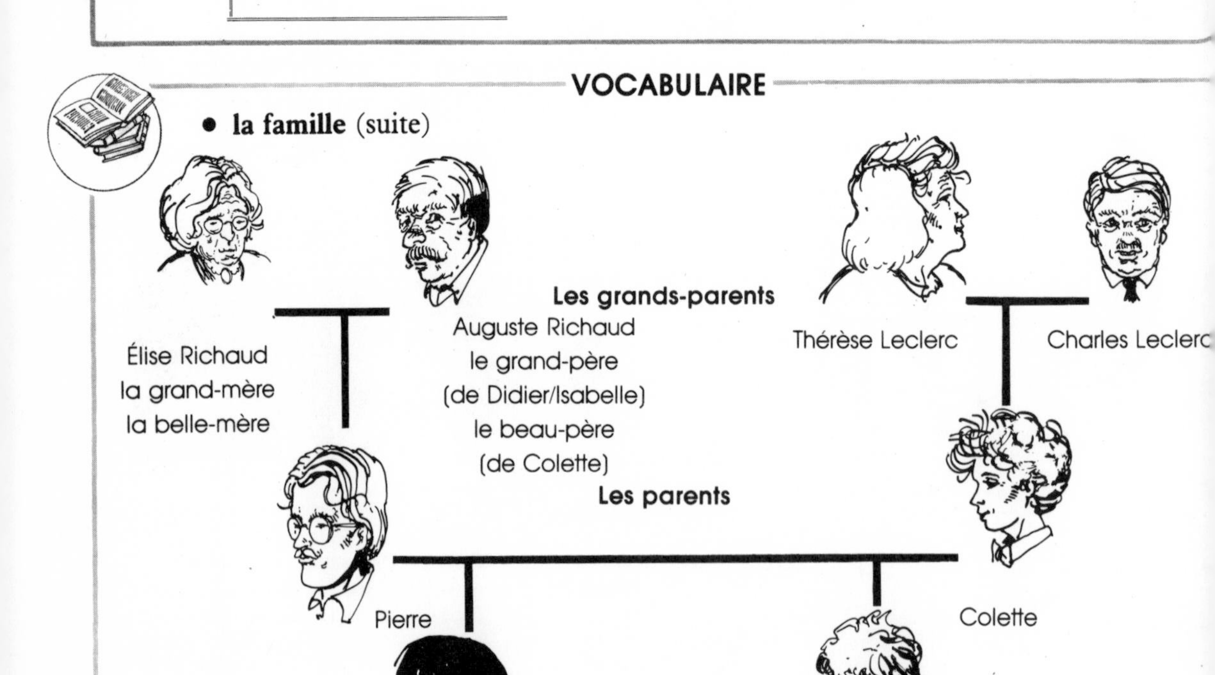

l'oncle - la tante - le cousin - la cousine... le beau-frère - la belle-sœur - le beau-père - la belle-mère

- **qu'est-ce que vous prenez ?**

jus de fruit, alcool (apéritif, digestif),
eau minérale (eau « plate », eau gazeuse)...

12 h, 19 h, l'apéritif
Après le repas, les « digestifs »

- **1 verbe - 3 sens**

« **MARCHER** »
Sens 1 : Il marche dans la rue.
Sens 2 : La machine marche bien.
Sens 3 : Et le travail, ça marche ?

« **FAIRE** »
Sens 1 : Qu'est-ce qu'ils font ? Ils font leurs devoirs.
Sens 2 : Qu'est-ce qu'il fait (dans la vie) ? Il est représentant.
Sens 3 : Combien ça fait ? Ça fait 100 F.

GRAMMAIRE

1. adjectifs possessifs

singulier	*masculin* *féminin*	**notre**	**votre**	**leur**	C'est notre / votre / leur bureau
pluriel	*masculin* *féminin*	**nos**	**vos**	**leurs**	Ce sont nos / vos / leurs amis - amies

. pronoms personnels compléments (après préposition)

	pluriel	
1re personne	**nous**	Ils habitent chez nous.
2e personne	**vous**	C'est à vous ?
3e personne	**eux/elles**	Vous êtes avec eux/elles ?

3. conjugaison

COMPRENDRE

je comprends
tu comprends
il/elle/on comprend
nous comprenons
vous comprenez
ils/elles comprennent

1. *Recopiez et complétez en employant : son, sa, ses, leur, leurs.*

Voici Didier et ...... sœur.
Voici Didier, Isabelle, et ...... copains, Brigitte et Gilles.
Voici Didier et ...... mère.
Voici Brigitte et ...... ami Gilles.
Voici Isabelle et ...... parents.

2. *Recopiez et complétez la lettre de Sophie Delort à sa mère :*

... chère Maman,
Je suis contente à Évry. ...... travail marche bien. ...... amis Colette et Pierre sont sympa .... enfants s'appellent Isabelle et Didier. Comment va ...... petit Jérôme. Est-ce qu'il est gentil avec ...... grand-mère ?
A dimanche. Je t'embrasse.

...... fille Sophie.

3. *Choisissez la bonne réponse :*

a) *Sophie demande à M. et Mme Richaud : « Comment s'appellent* (*leurs / tes / vos*) *enfants »*

b) *Colette répond : «* (*Ma / Nos / Notre*) *fils s'appelle Didier et* (*sa / leur / ma*) *sœur Isabelle. »*

c) *Pierre demande à Sophie : « Il a quel âge,* (*mon / votre / son*) *fils ? »*

d) *Pierre demande à Colette et Sophie : « Elles sont sympa,* (*vos / nos / leurs*) *collègues ? »*

4. *Votre famille :*

Présentez votre famille en indiquant les noms et prénoms de vos grands-parents ; les prénoms de vos parents, frères, sœurs (et enfants) ; leurs professions, leurs adresses...

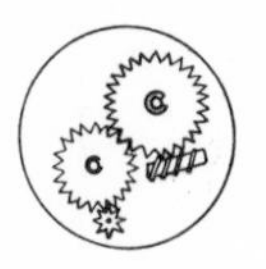

Ce	blouson		ton frère ?	Oui c'est	**son** blouson.
Cette	veste	est à	Jacques ?		**sa** veste.
Cet	imperméable		maman ?	Non, ce n'est pas	**son** imperméabl

	chaussures		toi ?		**mes** chaussure
	cigarettes		moi ?	Oui, ce sont	**tes** cigarettes.
	affaires		elle ?		**ses** affaires.
Ces		sont à			
	allumettes		vous ?		**nos** allumettes.
	chaussettes		nous ?	Non, ce ne sont pas	**vos** chaussette
	enfants		eux ?		**leurs** enfants.

Au café

Faites-les parler. *Pour moi une bière...*

(le garçon s'est trompé) Corrigez.
Pour lui ce n'est pas un sandwich, c'est une bière...

Une grande famille

Donnez des noms à chaque personnage et imaginez des liens de parenté.
X est le... frère/cousin/père, etc. de Y

Interrogez votre voisin ou votre voisine sur sa famille...
(liens de parenté, noms, prénoms, âges, professions, etc.)

... sur sa profession, ses goûts :

Vous : *Qu'est-ce que vous faites ?*
Lui/Elle *Je suis...*
Vous : *Votre travail, ça marche ?...*
Vos collègues sont sympa ? ...
Lui/Elle *Oui..., non...*
Vous : *Vous aimez cette ville ?...*

BILAN

A. Tests

1. *Recopiez et complétez avec UN, UNE, DES, CE, CET, CETTE, CES :*

J'ai ...... ami aux États-Unis. ...... ami habite New York.
Qui est ...... dame ? C'est ...... vendeuse du magasin.
Je ne fume pas ...... cigarettes. Je préfère ...... blondes.
J'ai ...... travail urgent ...... matin.
Je n'aime pas ...... musique. Il est à toi, ... disque ?
Nous attendons ...... invités ...... soir.
Garçon ! ...... côtelettes ne sont pas bonnes. Nous voulons ...... steaks.
Qui c'est, ... garçon ? C'est ...... copain.
Vous avez ...... petits classeurs ? Oui. Vous voulez ...... modèle ?
...... épicier a ...... magasin moderne.

2. *Recopiez et complétez avec PAS DE, PAS D', PAS DES :*

Il n'y a ...... fruits.
Les Dumont n'ont ...... enfants.
Il ne fume ...... blondes.
Elles n'ont ...... amies.
Je ne mange ...... conserves.
Ce ne sont ...... amis.
Nous n'avons ...... timbres.
Ce ne sont ...... cigarettes américaines.
Je n'ai ...... cigarettes blondes.
Ils n'achètent ...... vêtements.

3. *Au restaurant, vous demandez :*

« Garçon, je voudrais ...... un-une, du - de la - de l' ...... ?
pomme, vin, sel, poivre, yaourt, vinaigre, veau, croissant, eau, confiture, beurre, fruit, huile, pain, riz,

4. *Transformez et complétez avec DU, DE LA, DE L', DES, DE, D', comme dans l modèle :*

crémerie : *produits laitiers mais pas fruits.*
Un crémier vend des produits laitiers mais ne vend pas de fruits.

boulangerie : ...... *pâtisserie mais pas* ...... *lait*
boucherie : ...... *viande mais pas* ...... *boissons*
librairie : ...... *cartes postales mais pas* ...... *articles pour fumeurs*
crémerie : ...... *fromage mais pas* ...... *huile*
épicerie : ...... *huile mais pas* ...... *huîtres*

5. *Qui dit quoi ? Employez je n'ai plus de/je ne vends pas de... :*

exemple : droguiste/conserves : « *Je ne vends pas de conserves.* »
épicier/jambon : « *Je n'ai plus de jambon.* »

buraliste/timbres
boucher/pain
crémier/vin
épicier/légumes
droguiste/médicaments
libraire/cartes postales
charcutier/veau
boulanger/croissants
pharmacien/aspirine
buraliste/allumettes

6. *Que fait... ? Qui sont... ? Qui est... ? Comment s'appelle... ?*

Posez des questions sur le groupe souligné :

M. Arnaud, c'est le chef des ventes.
La Directrice Commerciale s'appelle Mme La Borderie.
Gilles et Brigitte sont les amis de Didier et Isabelle.
Le fils de Sophie s'appelle Jérôme.
Pierre Richaud est réprésentant.

7. *Posez les questions qui donnent les réponses suivantes :*

Je m'appelle Henri Dumas.
Pour moi, un steak-frites.
Des côtelettes et un beau rôti de veau.
40 et 27, ça fait 67 F.
Ce stylo ? Il est à moi.
Elles font leurs devoirs.
Je suis secrétaire.
Non, elles ne prennent pas de dessert.

8. *Faites des phrases selon le modèle.*

Exemple :
Paul / jouer / frère Alain
a) Paul joue avec son frère Alain.
b) Il joue avec lui.

1. Sophie / travailler / amie Colette.
2. Jérôme / habiter / grands parents
3. Est-ce que vous / dîner / frère ?
4. Didier et Isabelle / regarder la télévision / parents
5. Gilles / aller au cinéma / amies Brigitte et Isabelle

9. *Complétez et répondez selon le modèle :*

A qui ...... pull ? A la sœur de Pierre.
A qui est ce pull ? Il est à sa sœur.

1. *A qui ...... vêtements ? Aux parents de Didier et Isabelle.*
2. *A qui ...... maison ? Aux amis de Pierre.*
3. *A qui ...... imperméable ? A la fille de Colette.*
4. *A qui ...... cigarettes ? A la copine de Didier.*
5. *A qui ...... pantalon ? A Brigitte.*
6. *A qui ...... journal ? A la femme de Pierre.*
7. *A qui ...... paquets ? A M. et Mme Richaud.*
8. *A qui ...... article ? A la cliente.*
9. *A qui ...... boucherie ?* A M. *Dumas.*
10. *A qui ...... écharpe ? A la mère d'Isabelle.*

10. *Mettez l'adjectif à sa place et faites l'accord :*

M. et Mme Durand sont les concierges. **(nouveau)**
Voici des lettres. **(urgent)**
Nous avons des machines. **(électrique)**
Près de la place il y a des restaurants. **(petit)**
Voilà une choucroute. **(beau)**
Vous avez un imperméable. **(beau)**
Quelle est votre adresse ? **(nouveau)**
Pierre et François sont nos collègues. **(nouveau)**
Il y a un hôtel. **(nouveau)**
Il habite une chambre. **(petit)**
Dans notre ville, il y a des restaurants. **(sympathique)**
Elle porte des vêtements. **(moderne)**

B. Images pour...

« Tu habites ici à Évry? »

Évry ville nouvelle
Évry est près de Paris dans le département de l'Essonne. La ville nouvelle est prévue pour 200 000 habitants. A côté de la préfecture, on trouve un centre commercial, un ensemble culturel «l'Agora» avec piscine, bibliothèque, théâtre, patinoire... L'architecture d'Évry est originale.

VIVRE A EVRY 1

Une terrasse pour chaque appartement.
Des écoles ouvertes sur des jardins.
Des transports rapides, des pistes cyclables...

Evry 1. Le quartier des Pyramides.

Marne-la-Vallée (Val-de-Marne) «La Ferme du Buisson»

«J'aime bien l'architecture moderne»

Les architectes et les urbanistes des villes nouvelles veulent inventer une nouvelle architecture et un nouvel «art de vivre» pour l'an 2000. Ils veulent aussi réunir les logements, les lieux de travail et les équipements sociaux (commerces, administrations, centres de loisirs).
Il y a 5 villes nouvelles à côté de Paris : Cergy-Pontoise, Saint-Quentin-en-Yvelines, Évry, Melun-Sénart et Marne-la-Vallée.

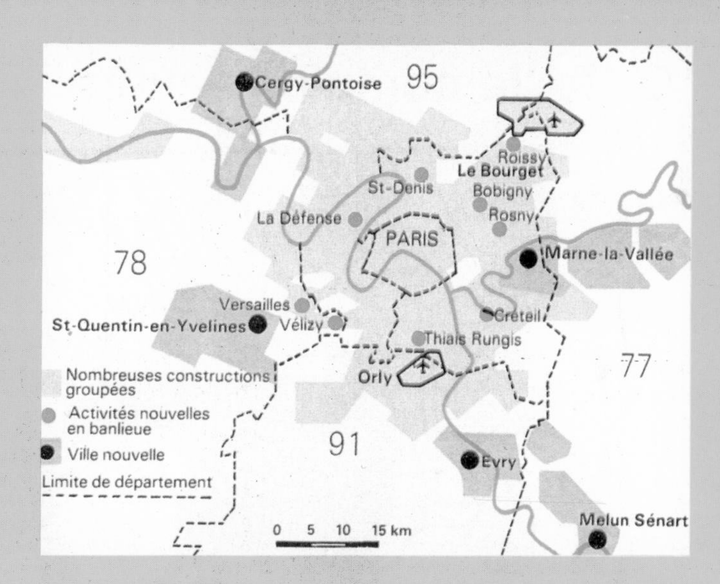

Saint-Quentin-en-Yvelines. Le quartier des 7 mares.

Sculpture de Klaus Schultze.

La ville nouvelle d'Évry (Essonne).

C. Texte complémentaire

Le garçon : — *Qu'est-ce que vous prenez, monsieur ?*

Frédéric : — *Je voudrais un diabolo, s'il vous plaît.*

Francine : — *Qu'est-ce que c'est, un diabolo ?*

Frédéric : — *C'est de la limonade avec de la menthe.*
Vous voulez essayer ?

Francine : — *Non, merci. Je préfère ma glace.*

Frédéric : — *Alors, on se retrouve devant la porte du club, ce soir ?*

Francine : — *D'accord. C'est à quelle adresse ?*

Frédéric : — *C'est 9 rue des Petites-Écuries. Qu'est-ce que vous faites dans la vie, Francine ?*

Francine : — *Je suis secrétaire. Je travaille dans ....*

Francine, la Canadienne est secrétaire de direction dans une banque. Elle parle français, anglais et allemand. Elle a vingt-sept ans, n'est pas mariée et vit à Lyon avec sa sœur Diana. Leurs parents sont au Canada.

Le week-end, Francine aime bien aller à Paris chez ses amis canadiens. Diana préfère le sport : elle est libre le vendredi à midi et va faire du ski dans les Alpes.

Frédéric est savoyard. Sa famille est de Chamonix. Ses grands-parents ont un petit hôtel de dix chambres à Chamonix et ses parents un restaurant à Paris. Leur spécialité ? La fondue, bien sûr. Et Frédéric, qu'est-ce qu'il fait dans la vie ? Il travaille à l'aéroport de Roissy. Il est à Air-France. Air-France, c'est son travail, mais sa vie, c'est la guitare. Le week-end, Frédéric joue de la guitare électrique dans un club de jazz.

D. Aide-mémoire

1. *Orthographe : Les pluriels en X*

- **les noms :**
  — les noms en **au, eau, eu** prennent un X au pluriel :
  un bureau, des bureaux ;
  un neveu, des neveux
  — les noms en **al** font **aux** au pluriel :
  un cheval, des chevaux
  — quelques noms en **ail** et **ou** font **aux** et **oux** au pluriel :
  travail - travaux, chou - choux
- **les adjectifs :**
  — les adjectifs en **eau** font **eaux** au masculin pluriel :
  nouveau - nouveaux, beau - beaux

2. *Unités de mesure*

• le poids :	un gramme	1 g
	un kilo(gramme)	1 kg
	une livre	500 g
	une tonne	1 000 kilos
• la longueur	un centimètre	1 cm
	un mètre	1 m
	un kilomètre	1 km
• le volume	un centimètre cube	1 cm^3
	un mètre cube	1 m^3
	un litre	1 l
• le temps	une seconde	1 s
	une minute	1 mn
	une heure	1 h
	un jour	24 h

E. Conjugaisons

EMBRASSER	DÉSIRER	CÔUTER	MARCHER
j' embrasse	je désire	je coûte	je marche
tu embrasses	tu désires	tu coûtes	tu marches
il/elle/on embrasse	il/elle/on désire	il/elle/on coûte	il/elle/on marche
nous embrassons	nous désirons	nous coûtons	nous marchons
vous embrassez	vous désirez	vous coûtez	vous marchez
ils/elles embrassent	ils/elles désirent	ils/elles coûtent	ils/elles marchent

PESER	ACHETER	RANGER	PAYER
je pèse	j' achète	je range	je paie/paye
tu pèses	tu achètes	tu ranges	tu paies/payes
il/elle/on pèse	il/elle/on achète	il/elle/on range	il/elle/on paie/paye
nous pesons	nous achetons	nous rangeons	nous payons
vous pesez	vous achetez	vous rangez	vous payez
ils/elles pèsent	ils/elles achètent	ils/elles rangent	ils/elles paient/payent

PRENDRE	APPRENDRE	COMPRENDRE
je prends	j' apprends	je comprends
tu prends	tu apprends	tu comprends
il/elle/on prend	il/elle/on apprend	il/elle/on comprend
nous prenons	nous apprenons	nous comprenons
vous prenez	vous apprenez	vous comprenez
ils/elles prennent	ils/elles apprennent	ils/elles comprennent

ATTENDRE	VENDRE	VIVRE
j' attends	je vends	je vis
tu attends	tu vends	tu vis
il/elle/on attend	il/elle/on vend	il/elle/on vit
nous attendons	nous vendons	nous vivons
vous attendez	vous vendez	vous vivez
ils/elles attendent	ils/elles vendent	ils/elles vivent

• *les couleurs*

gris — blanc — bleu — vert — jaune

violet/mauve — noir — orange — rouge

rose — brun/marron

3 3.1 Vacances en Bretagne

Alain : — On s'arrête ici ? Moi, j'aime bien cet endroit. Et vous ?

Luc : — Tu es fou ! On ne peut pas camper dans un champ, près d'une ferme ! C'est défendu !

Anne : — Les fermiers sont là. On peut leur demander.

Anne : — Pardon monsieur, je peux vous demander un renseignement ?

Le fermier : — Bien sûr !

Anne : — Est-ce qu'il y a un terrain de camping près d'ici ?

Le fermier : — Ah non ! il faut aller à St-Pol.

Anne : — C'est loin ?

Le fermier : — C'est à 10 km.

La fermière : — Vous n'êtes pas français ?

Luc : — Non.

La fermière : — Vous venez d'où ?

Luc : — De Lausanne, en Suisse.

Marie-Claude : — On vient visiter votre belle région.

* *La fermière (à son mari) :* — Ils sont sympathiques, ces jeunes !

Le fermier : — Vous voulez rester combien de temps ?

Alain : — Deux ou trois jours !

Le fermier : — Bon ça va ! Vous pouvez camper ici !

Anne : — Vous nous donnez l'autorisation ? Oh, merci beaucoup.

Luc : — C'est très gentil, merci.

* *Alain :* — Où est-ce qu'on peut monter la tente ?

Le fermier : — Là-bas, sous les arbres.

Luc : — Excusez-nous, est-ce qu'on peut faire du feu ?

Le fermier : — Oui, mais je vous demande de faire attention aux artichauts. Bon. On vous laisse. On a du travail. A bientôt.

Tous : — A bientôt... A tout à l'heure... et merci encore.

On ne peut pas camper dans un champ.

Les fermiers sont là! On peut leur demander.

[ø] Est-ce qu'on peut faire du feu?

[œ] A tout à l'heure.

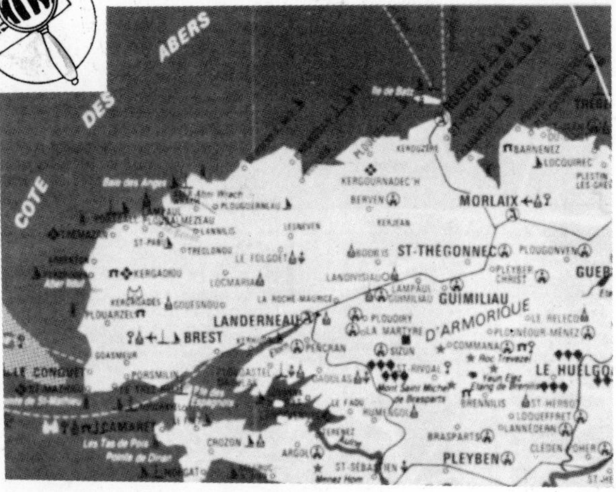

REGLEMENT DU CAMPING

Il est interdit de faire du bruit le soir après 10 h.

Prière de jeter les ordures dans les poubelles.

Il est interdit de laver la vaisselle dans les lavabos.

Les transistors ne doivent pas gêner vos voisins.

Il est interdit de laisser les chiens se promener librement.

Les barbecues sont interdits.

Nous vous demandons d'avoir une tenue correcte.

Après 10 h interdiction de rouler en voiture dans le camping.

VOCABULAIRE

• **le camping**

Le terrain de camping, la tente, la caravane, un sac à dos, un matelas pneumatique, un sac de couchage, une chaise pliante, une table pliante, un camping-gaz, une glacière, une lampe de poche...

• autoriser, interdire

— Demander une autorisation (une permission)

Est-ce que je peux... vous demander un renseignement.
Est-ce que vous me permettez de... camper ici.
Est-ce que vous m'autorisez à... faire du feu.

— Donner une autorisation (autoriser, permettre)

Oui, vous pouvez... Je vous donne l'autorisation, la permission, le droit de...
Je vous permets de... Je vous autorise à...

— Refuser une autorisation (défendre, interdire)

Non, vous ne pouvez pas... C'est défendu ! c'est interdit !
Je vous défends, je vous interdis de...

• verbes, adjectifs et noms

Autoriser	C'est autorisé	une autorisation
Interdire	C'est interdit	une interdiction
Permettre	C'est permis	une permission
Défendre	C'est défendu	« défense de... »

• formules de politesse

Pour remercier :
Merci, merci beaucoup, merci encore. C'est très gentil...

Pour s'excuser :
Pardon, excusez-moi.

Pour dire au revoir :
Au revoir, à bientôt, à tout à l'heure, à demain, à lundi (mardi...)

GRAMMAIRE

1. Les pronoms personnels compléments indirects

(A qui est-ce qu'il parle ?)

— A moi	Il **me** parle
— A toi	Il **te** parle
— A lui / elle	Il **lui** parle
— A nous	Il **nous** parle
— A vous	Il **vous** parle
— A eux / elles	Il **leur** parle

• ATTENTION !

Anne parle **à la fermière.** Elle **lui** parle.
Anne parle **au fermier.** Elle **lui** parle.

Le fermier parle **à Anne et Marie-Claude.** Il **leur** parle.
Le fermier parle **à Luc et Alain.** Il **leur** parle.

2. Interrogation sur le lieu

— ***Où est-ce qu'***on peut camper ?
Où peut-on camper ?

Ici, là, là-bas...
Sous les arbres. **Près** de la ferme.
A côté du champ...

— ***Où est*** le terrain de camping ?

A 10 km, **à** 50 km..., **loin,** tout **près, à côté...**

— Vous venez ***d'où ? D'où*** venez-vous ?

De Suisse, **de** Paris... **de** loin.

— ***Où*** allez-vous ?

A Londres, **en** Bretagne.

3. Pronoms personnels d'insistance

Moi, **Toi,**	je tu	fais	du football.
Nous,	nous	faisons	du tennis.
Vous,	vous	faites	du camping.
Lui, **Elle,** **Nous,**	il elle on	fait	de la peinture.
Eux, **Elles,**	ils elles	font	de la musique.

4. Un verbe - 2 constructions : demander

— Demander quelque chose *(à quelqu'un)* :

Anne demande un renseignement aux fermiers.
Elle demande aux fermiers l'autorisation de camper.

— Demander *(à quelqu'un)* de faire quelque chose.

Je vous demande de sortir.
Il leur demande de faire attention aux artichauts.

1. *D'où viennent-ils ? Où vont-ils ?*

2. *Remplacez les noms soulignés par des pronoms :*

ex. : *Le fermier permet aux Suisses de camper chez lui.*
— Il leur permet de camper chez lui.

La fermière donne un renseignement aux jeunes Suisses.
Anne demande à la fermière l'autorisation de camper.
Pierre parle à Sophie.
Les étudiants demandent un renseignement au professeur.
Sophie parle aux enfants de Pierre et Colette.
Le fermier et sa femme demandent aux campeurs de faire attention aux pommes.
Mme Richaud demande des côtelettes au boucher.
M. Richaud donne un jus de fruits aux enfants.
La secrétaire demande un renseignement au chef des ventes.
Le directeur parle à ses secrétaires.

3. *Trouvez les questions :*

ex. : Il vient d'Angleterre.
(Question :) D'où vient-il ?

1. *Vous pouvez mettre votre voiture devant la maison.*
2. *Non, il n'y a pas de cinéma près d'ici.*
3. *Du pain ? Il y a une boulangerie à 3 km.*
4. *Non, on ne peut pas camper dans un champ.*
5. *Elles viennent du Venezuela.*

4. *Remettez dans l'ordre :*

1. *Un/vous/je/renseignement/demander/peux.*
2. *Leur/de/il/faire attention/demande.*
3. *Ici/camper/permet/de/nous/il.*
4. *Lui/vous/l'autorisation/pouvez/demander.*
5. *Est-ce qu'/où/tente/monter/leur/ils/peuvent.*

5. *Que dit le personnage* a *? Trouvez la bonne réponse :*

Je te parle
Je leur parle

Tu lui parles ?
Tu me parles ?

Ils ne me parlent pas !
Je ne lui parle pas !

a

6. *Regardez tous ces panneaux : cette forêt est « protégée ».*
Donnez le règlement correspondant aux panneaux en employant :

il est défendu, interdit de...,
il faut faire attention à...

1. ***Est-ce que*** **Anne** demande un renseignement **à la fermière ?**
   Oui, **elle lui** demande un renseignement.
   Est-ce que **le boucher** vend un rôti à **M. et Mme Richaud ?**
   Oui, **il leur** vend un rôti.

2. A qui est-ce que **tu** parles ? A **moi ?** Oui **je te** parle.
   A qui est-ce qu'**il** parle ? A **eux ?** Oui, **il leur** parle.
   A qui est-ce qu'**il** téléphone ? A **elle ?** Oui, **il lui** téléphone.

• ***Il va à Rome. Elle aussi peut-être ?***
Il lui pose beaucoup de questions :
sa nationalité, sa profession, sa destination...
Il veut fumer, ouvrir la fenêtre.
Imaginez le dialogue :

Lui : *Je peux vous demander quelque chose ?*
Elle : *Bien sûr.*
Lui : *Vous allez à Rome ?*
Elle : *Non,...*
Elle : *Oui, ...*

• Ils participent à une conférence internationale.
Ils se présentent.
Continuez le dialogue.

M. Freitag :	*Moi, je m'appelle Klaus Freitag.*
	Je suis allemand, je viens de...
M. Y :	*Moi, je suis belge, je m'appelle...*
	Je viens de...
M. Freitag :	*Et M. Andretti ?*
M. Y :	*Lui, il est...*
	Et Anne Garcia ?...

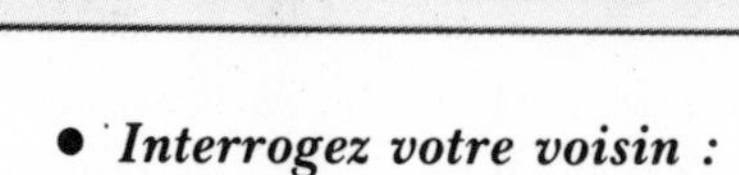

• Jeu : le « chef ».
Vous demandez une autorisation.
Le « chef » accepte ou refuse.
Dialoguez.

Vous :	*S'il vous plaît, est-ce que je peux,*
	est-ce que vous me permettez de
	(téléphoner, fumer, lire le journal...) ?
Lui :	*Oui, je vous permets de, ...*
	Je vous autorise à...
Vous :	*Merci, merci beaucoup, c'est très gentil...*
Ou bien :	*Non, je ne vous permets pas...*
	Je vous défends de...
	C'est défendu, c'est interdit !

• Interrogez votre voisin :

Vous êtes français ? Vous habitez où ?
Vous venez d'où ? Où allez-vous cet été ?
Vous restez ici combien de temps ?

• Qu'est-ce qu'ils font pendant leurs vacances ?
Faites-le(s) parler :
Moi, je... Eux, ils...

• Et vous qu'est-ce que vous faites pendant vos vacances ? Et votre voisin(e).
Moi, je fais du tennis. Moi, je... Lui, il...

• Demandez un renseignement à votre voisin(e).
vous voulez jouer au tennis, aller à la plage, faire des courses, aller au cinéma...

Ex. :

Vous :	*Je peux vous demander un renseignement ?*
Lui-Elle :	*Bien sûr !*
Vous :	*Est-ce qu'il y a un tennis près d'ici ?*
Lui-Elle :	*Oui, à...*
	Non, il faut aller à...
Vous :	*C'est loin ?*
Lui-Elle :	*C'est à...*
	Non, c'est à...

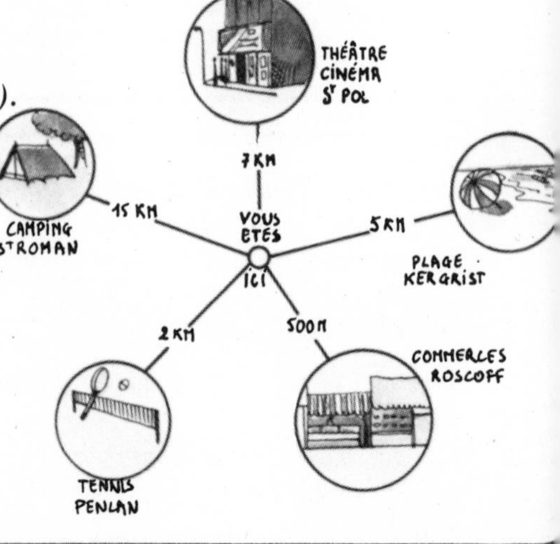

3.2 Suivez le guide!

Luc : — Oh, zut ! Regardez ! La roue arrière est à plat !

Alain : — Bon. Luc, prends la tente dans le coffre. Marie-Claude, gonfle les matelas pneumatiques. Moi, je change la roue, Luc, tu peux sortir le cric et la manivelle, s'il te plaît.

Luc : — Voilà. N'oublie pas de mettre le frein à main.

Alain : — Je n'arrive pas à desserrer cette roue. Tu veux bien m'aider ?

Luc : — Bien sûr. Ouf ! ça y est !

Alain : — Qui a des cigarettes ?

Marie-Claude : — Moi, j'en ai.

Luc : — Il y a encore de la bière ?

Anne : — Non, il n'y en a plus !

* *La fermière :* — Alors, les jeunes, ça va ?

Tous : — Oui, oui. Très bien.

La fermière : — Je vais à St-Pol au supermarché. Est-ce que vous avez besoin de quelque chose ?

Anne : — Oui, il nous faut de la viande, des fruits, du pain...

Luc : — Et de la bière !

La fermière : — Eh bien, venez avec moi.

Anne : — On y va, Marie-Claude ?

Marie-Claude : — D'accord. Allons-y.

Anne :	— Attends ! Je prends de l'argent !
Alain :	— Pensez au pain !
Marie-Claude :	— Oui, on y pense.
Luc :	— Et n'oubliez pas la bière !
* *Alain :*	— Dites, Madame, qu'est-ce qu'on peut visiter dans la région ?
La fermière :	— Eh bien, il y a la mer, la plage. Et puis il faut voir Morlaix, St-Pol et Roscoff. Il y a une fête à Roscoff ce soir. Allez-y !
Luc :	— Le guide conseille de visiter Brasparts. Où est-ce Brasparts ?
La fermière :	— Ah, c'est dans la montagne.
Alain :	— Il y a des montagnes ici ?
La fermière :	— Oui, les Monts d'Arrée. Ça fait 400 m d'altitude.
Luc :	— 400 m ! Une montagne !

[ɑ̃] [ɛ̃]

Prends la tente dans le coffre !

Moi, je change la roue.

Mets le frein à main. !

Pensez à la viande et au pain. !

VENEZ EN BRETAGNE !
Prenez
la route de la mer !

ROSCOFF 5 000 habitants *(les Roscovites)*

Par la route	Paris	540 km
	Rennes	215 km
	Brest	62 km
	Morlaix	28 km
Par le train	Gare S.N.C.F. à Morlaix	

HÔTELS (avec restaurant)

Hôtel Talabardon	*50 chambres*
Hôtel d'Angleterre	*40 chambres*
Hôtel Régina	*60 chambres*
Hôtel des Bains	*50 chambres*
Hôtel Bellevue	*25 chambres*
Hôtel de la Plage	*27 chambres*
Hôtel du Centre	*21 chambres*

Allez à Roscoff !

ROSCOFF, son port international (liaisons avec la Grande-Bretagne et l'Irlande), ses plages, sa vieille ville, son centre de thalassothérapie et de biologie marine.

SYNDICAT D'INITIATIVE dans la chapelle Sainte-Anne

- ***Il faut voir***
  - — **l'église de Notre-Dame** (1550, style Renaissance).
  - — **les maisons du XVIe et du XVIIe siècles** près du port (n° 25 maison de « Marie Stuart »).
- ***Arrêtez-vous***
  - — **à la petite chapelle Sainte-Barbe** et regardez l'entrée de la rivière de Morlaix, le château du Taureau.
  - — **au couvent des Capucins :** le grand figuier, un arbre géant de 362 ans (1621, 600 m² de surface).
- ***Nous vous conseillons de :***
  - — manger des crêpes et des coquillages,
  - — prendre un bain d'algues,
  - — visiter l'aquarium.
- ***Dans la région on peut visiter :***
  - — **l'Ile de Batz** *(prononcez BA)* : Belles plages de sable fin, phare de 68 m (prenez le bateau sur le port, 15 minutes de traversée).
  - — **St-Pol-de-Léon,** ville commerçante. Chapelle du Kreisker et cathédrale (XVe siècle).

VOCABULAIRE

• dans le guide

conseiller *(un conseil)*, visiter *(une visite)*, s'arrêter *(un arrêt)*...

une église	un point de vue - un panorama
un château	un phare
M un musée	une côte rocheuse
un port (de plaisance)	une plage...

• la voiture (l'auto) : des « pannes »

La roue est à plat
Le réservoir est vide
Le phare est cassé

il faut changer la roue.
il faut faire le plein.
il faut réparer le phare.

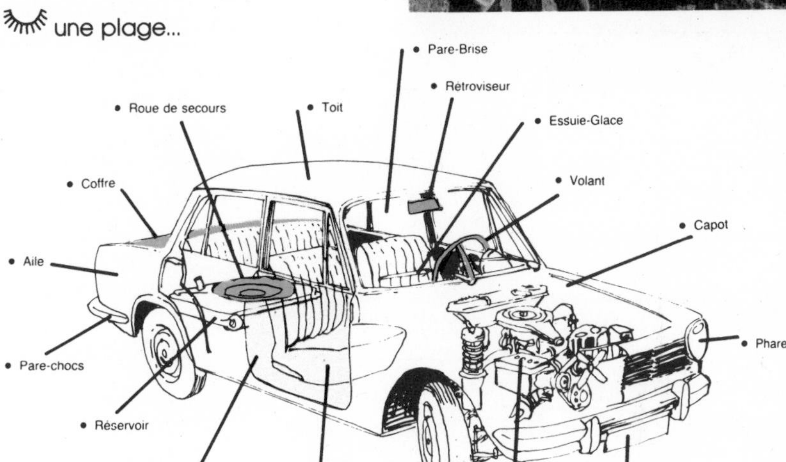

• les demandes - les ordres

(en classe)
Regardez ! Écoutez ! Répétez ! Apprenez !
Parlez ! Lisez ! Écrivez ! Faites attention ! ......
N'oubliez pas ! Ne parlez pas !
Entrez ! Sortez ! Asseyez-vous ! Levez-vous ! ......

Tu veux bien m'aider ?	Oui, je veux bien
Tu veux venir avec moi ?	D'accord, Bien sûr !
Tu peux m'aider ?	Non ! Je ne veux pas !
Tu peux venir avec moi ?	Non ! Je ne peux pas !
Aide-moi ! Viens avec moi !	Oui, d'accord. Ah non !

GRAMMAIRE

1. L'impératif

a) formation.

Vous visitez la Bretagne *(indicatif)*	→	**Visitez** *la Bretagne* *(impératif)*
je demande	*(un renseignement au fermier)*	×
tu demandes	→	**Demande** *(au fermier)*
il/elle/on demande	→	×
nous demandons	→	**Demandons !**
vous demandez	→	**Demandez !**
ils/elles demandent	→	×

b) négation.

Achète du pain !	N'achète pas de pain !	Partez !	Ne partez pas !
Prenons la voiture !	Ne prenons pas la voiture !	Entrez !	N'entrez pas !

c) conjugaison.

REGARDER	CHANGER	PRENDRE
regarde	change	prends
regardons	changeons	prenons
regardez	changez	prenez

METTRE	SORTIR	ALLER
mets	sors	va
mettons	sortons	allons
mettez	sortez	allez

VENIR	FAIRE	S'ARRÊTER
viens	fais	arrête-toi
venons	faisons	arrêtons-nous
venez	faites	arrêtez-vous

2. en et y

a) indiquent le lieu.
y = là
en = de là

il va **à** Paris - il **y** va
ils campent **en** Espagne - ils **y** campent
nous allons **au** cinéma - nous **y** allons

il vient **de** Paris - il **en** vient
nous arrivons **du** Japon - nous **en** arrivons
tu sors **de la** boulangerie ? - tu **en** sors ?

b) remplacent un nom.
y = à ça
en = de ça

elle pense **à son travail - elle y** pense
il pense aux vacances - il **y** pense
j'ai **des cigarettes** - j'**en** ai
il achète du pain, de la viande - il **en** achète

c) place de « en » et « y »

nous allons en Bretagne :
nous **y** allons - allons-**y** - n'**y** allons pas !
tu prends du pain :
tu **en** prends - prends-**en** ! - n'**en** prends pas !

1. *Répondez aux questions en employant « en » ou « y ».*

Est-ce qu'ils campent dans le champ ?
→ *Oui, ils y campent.*
Est-ce qu'ils prennent des pommes ?
→ *Non, ils n'en prennent pas.*
Est-ce que tu vas au cinéma ?
— *Oui ......*
Est-ce que tu achètes des glaces ?
— *Non ......*
Est-ce qu'elle habite à Londres ?
— *Oui ......*
Est-ce qu'elle connaît des Écossais ?
— *Non......*
Est-ce que tu travailles en Suisse ?
— *Oui ......*
Est-ce que tu es né dans ce pays ?
— *Non ......*
Est-ce qu'elles vont à Paris le week-end ?
— *Oui ......*
Est-ce qu'elles ont des amis parisiens ?
— *Non ......*

2. *Répondez en employant « en » ou « y » et l'impératif.*

Tu viens avec moi à l'aéroport ? — D'accord, allons-y.

1. *Est-ce que nous pouvons aller au cinéma, Papa ? — Oui ......*
2. *Tu viens avec moi acheter un journal ? — D'accord ......*
3. *Papa, est-ce que je peux prendre du vin ? — Non ......*
4. *Chérie, on prend des côtelettes pour ce soir ? — Volontiers ......*
5. *Maman, est-ce que je peux aller camper avec mes copains ? — Non ......*

3. *Regardez les documents page 78 et écrivez :*

une publicité sur votre ville, un extrait de guide sur votre région ou votre pays.

4. *A quels ordres (à l'impératif) correspondent ces signaux ou ces panneaux?*

5. *Il est 5 heures du matin! Vous partez - vous voulez laisser vos « instructions »:*

Il faut : faire des courses (acheter beurre, œufs, café, fruits)
écrire à grand-mère, à des amis...
prendre rendez-vous chez le dentiste, le coiffeur...
faire attention à...
aller chez/au...
ne pas oublier...
penser à...

Faites un mot** pour votre ami(e), mari ou femme, vos enfants... **Employez des impératifs.

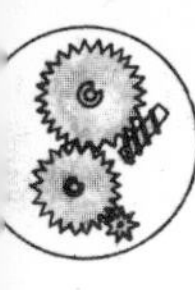

1. Est-ce que tu **manges** du **poisson?** — **oui,** j'en mange
   et de la **viande?** — **non,** je n'en mange pas

   Est-ce que tu **vas** au **cinéma?** — **oui,** j'y vais
   et au **théâtre?** — **non,** je n'y vais pas

2. Pierre dit à Jean de **travailler** : « Travaille ! »
   Il veut **travailler** avec Nicole : « Travaillons ! »
   Il dit à Paul et Anne de **travailler** : « Travaillez ! »

3. Paul, **va à la poste!** — Non, n'y va pas!
   Chérie, **allons au cinéma!** — Non, n'y allons pas!
   Les enfants, **prenez du pain!** — Non, n'en prenez pas!

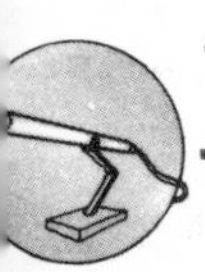

• *Le « parasite » et sa victime*

Lui : *Est-ce que tu as, vous avez ...... des cigarettes? du feu? de l'argent? une voiture ......*
La victime : *Oui, j'en ai ......*
Non, je n'en ai pas ......
Lui : *Est-ce que tu vas au restaurant? au cinéma? au théâtre? ......*
Est-ce que tu pars à Paris, à Tahiti, aux Bahamas?
Elle : *Oui/non ......*
Lui : *Je peux venir avec toi?*
Elle : *Oui, viens/non, ne viens pas ......*
Allons-y ...... Non, je ne veux pas.

Imaginez la situation et le dialogue.

NOTICE

1. Mettre le frein à main.
2. Prendre cric, manivelle et roue de secours.
3. Dévisser les écrous de la roue.
4. Mettre le cric sous la voiture.
5. Changer la roue.
6. Revissez les écrous.
7. Descendre le cric.
8. Revisser encore.
9. Remettre roue à plat, cric et manivelle.

• ***Une roue à plat.***

Il lit la notice et donne des instructions.

Imaginez le dialogue.

Lui : *Mets le frein à main.*
Prends le cric ......
Elle : *Voilà/D'accord...*
(ou) Je n'y arrive pas, tu peux m'aider ?

• ***Qu'est-ce qu'il y a à visiter à Morlaix ? Faites le guide en employant :***

— *Il y a ...... il faut voir ...... je vous conseille ......*

• ***Vous allez au bureau de tabac*** *(à la poste, à la boulangerie, à la pharmacie...).* ***Invitez votre voisin(e).***

Vous : *Je vais à/au ......*
Est-ce que tu as besoin de ......
Lui/Elle : *Oui, il me faut ......*
Non.
Vous : *Tu as de l'argent ?*
Lui/Elle : *Oui/non.*
Vous : *On y va ...... Allons-y.*
Lui/Elle : *D'accord ...... Allons-y.*
Non ! Attends ! Je prends ......

• ***Vous conseillez votre voisin(e) pour la visite de votre pays ou de votre ville.***

Lui : *Qu'est-ce qu'on peut visiter ?*
Qu'est-ce que tu (vous) me conseilles (ez).
Vous : *Va à ...... Allez à ...... Il y a ......*

3.3 Fête à Roscoff

Luc : — Ah voilà Alain ! Tu as garé la voiture ?
Alain : — Oui, à l'entrée de la ville
Luc : — C'est loin ?
Alain : — C'est à 1 kilomètre.
Anne : — Oh là là ! il faut y retourner. J'ai oublié mon sac et l'appareil de photo.
Alain : — Oh zut !
Anne : — Sois gentil !
Alain : — Bon, bon, on y va. Où est-ce qu'on se retrouve ?
Luc : — En face du café de la Marine. Dépêchez-vous !

« C'est la fête à Roscoff. La fête de la Sainte-Barbe. Aujourd'hui on rit, on chante, on danse. A 17 h grand concours de chant. A 18 h apéritif avec cidre et crêpes. A 19 h concours de danses bretonnes et de binious... »

Luc : — Qu'est-ce que c'est un biniou ?
— Un biniou c'est un instrument de musique, jeune homme.

« A 21 h fest noz* sur la place du port. »

Marie : — C'est du breton fest noz ?
Luc : — Je crois.
Marie : — Qu'est-ce que ça veut dire ?
Luc : — Je ne sais pas.

* **Notre concours de chant commence. Voici la première concurrente. Approchez-vous du micro, n'ayez pas peur ! Elle est jeune, elle est jolie mais elle a l'air timide ! Amis de Roscoff applaudissez bien fort ! Ah elle sourit.**

Lui : — Vous êtes mademoiselle... ?
Elle : — Madame. Madame Chevallier.
Lui : — Et vous venez... ?
Elle : — De Nice.
Lui : — Et vous êtes en vacances ici ?
Elle : — Oui, avec mon mari et mes enfants. Mais c'est le dernier jour, on part demain.
Lui : — Vous avez passé de bonnes vacances ?
Elle : — Oui.

(* Fest noz : fête de nuit.)

Lui : — Qu'est-ce que vous avez fait ?
Elle : — On est allé à la plage, on s'est baigné et on a visité la région.

Lui : — C'est bien ça !
Et qu'est-ce que vous chantez ?
Elle : — « J'ai pleuré sur tes pas ».

[y]

Qu'est-ce que tu as fait?

J'ai garé la voiture.

Qu'est-ce que c'est une flûte?

C'est un instrument de musique.

PROGRAMME

ROSCOFF FÊTE DE LA SAINTE-BARBE

Le 6 août
sur la place du port

17 h Grand concours de chant
18 h Apéritif avec cidre et crêpes
19 h Concours de binious et de danses bretonnes
21 h FEST NOZ avec l'orchestre les Korrigans de Brest

VENEZ TOUS A LA FÊTE DE LA SAINTE-BARBE

le 4/8
En vacances en Bretagne,
nous pensons à vous !
Avons visité Saint-Malo
et sommes arrivés à Roscoff.
Belle région : mer et soleil !
Bons baisers et
A bientôt
Luc

VOCABULAIRE

- **la fête, le spectacle**

— **les vedettes** : chanter, danser, jouer *(la comédie)*, jouer de la musique.
Le chant *(un chanteur - une chanteuse)*
La danse *(un danseur - une danseuse)*
Le théâtre, le cinéma *(un comédien - une comédienne - un acteur - une actrice)*
La musique *(un musicien - une musicienne)*.
— **les spectateurs (le public)** :
rire *(le rire)*, sourire *(le sourire)* ;
pleurer *(les pleurs - les larmes)*
applaudir *(les applaudissements - les bravos)*
siffler *(les sifflets)*
— **le spectacle** : commencer *(le commencement - le début)* finir *(la fin)*

• **pour compter :**

Elle a gagné le concours - elle est **première.**

1 premier, (ière)
2 deuxième *(second, e)*
3 troisième
4 quatrième... dernier, (ière)

• **aujourd'hui**

Vendredi	Samedi	**Dimanche**	Lundi	Mardi
avant-hier	hier	**aujourd'hui**	demain	après-demain

• **le préfixe « re » + verbe (= une deuxième fois)**

Venir	Voir	Trouver	Prendre	Faire	Dire
Revenir	Revoir	Retrouver	Reprendre	Refaire	Redire
Mettre	Serrer	Monter	Lire	Commencer	
Remettre	Resserrer	Remonter	Relire	Recommencer	

GRAMMAIRE

1. Le passé composé = (présent de « avoir » ou de « être » + participe passé) (*)

a) conjugaison.

VISITER	
j'ai	visité
tu	as visité
il/elle/on	a visité (la région)
nous	avons visité
vous	avez visité
ils/elles	ont visité

ALLER	
je	suis allé (ée)
tu	es allé (ée)
il/elle/on	est allé (ée)
nous	sommes allés (ées) à la plage
vous	êtes allés (ées)
ils/elles	sont allés (ées)

b) formes.

er → **é** trouver → j'ai trouv**é** garer → j'ai gar**é** jouer → j'ai jou**é**
commencer → j'ai commenc**é** aller → je suis all**é**

ir → **i** dormir → j'ai dorm**i** finir → j'ai fin**i**
sortir → je suis sort**i** partir → je suis part**i**

ATTENTION !

avoir →	eu	venir →	venu	lire →	lu
voir →	vu	pouvoir →	pu	vouloir →	voulu
dire →	dit	mettre →	mis	prendre →	pris
être →	été	naître →	né	faire →	fait

(*) **avec être les verbes** : aller/venir ; entrer/sortir ; arriver/partir ; naître/mourir...

+ les verbes pronominaux (cf. 3.4)

c) la négation.

Il visite la région
Il **ne** visite **pas** la région
Je vais à la plage
Je **ne** vais **pas** à la plage

il a visité la région
il **n'a pas** visité la région
je suis allé à la plage
je **ne** suis **pas** allé à la plage

2. Les impératifs (suite)

ÊTRE
sois soyons soyez

AVOIR
aie ayons ayez

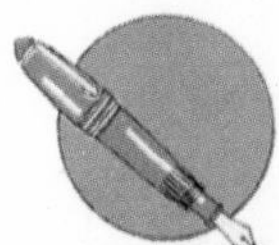

1. ***Recopiez et complétez ce tableau. Faites des phrases avec les verbes au passé composé.***

[e]		[i]		[y]	
......	(être)	repris	(......)	......	(avoir)
chanté	(......)	......	(dire)	lu	(......)
......	(visiter)	......	(prendre)	......	(entendre)
travaillé	(......)	appris	(......)	vendu	(......)
......	(déjeuner)	dormi	(......)	......	(attendre)
fait	(......)	......	(mettre)	voulu	(......)
......	(habiter)	fini	(......)	......	(voir)
oublié	(......)	......	(rire)	......	(pouvoir)

2. ***Recopiez et complétez ce dialogue.***

Vous avez passé de bonnes vacances?
— *Oui, on ...... Bretagne.*
Vous ...... camping ou à l'hôtel?
— *On ...... hôtel au bord de la mer.*
Qu'est-ce que ...... fait?
— *On ...... des églises, des musées.*
On ...... à la plage.

3. ***Recopiez la carte du fils de Mme Chevallier à sa grand-mère (Employez des passés composés).***

Roscoff le 7 août

Ma chère Grand-mère,
Nous ...... de bonnes vacances à Roscoff.
Nous ...... à la plage.
Nous ...... visité la Bretagne.
Hier soir, nous ...... à la fête et maman ...... fait ...... de chant. Elle a très bien ...... et les spectateurs ...... beaucoup ...... Et elle ...... gagné le concours.
Nous repartons demain. A bientôt.

Je t'embrasse très fort. Jean-Baptiste.

4. ***Vous êtes allés à la fête de Roscoff.***
Vous écrivez à des amis ce que vous avez vu et ce que vous avez fait.

5. ***Faites une affiche (en français) pour annoncer une fête dans votre région, votre ville ou votre village.***

6. ***Aujourd'hui, c'est le 2 avril 1999. Qu'est-ce qu'il s'est passé le 1er avril? Écrivez: Hier...***

ARRIVÉE DES MARTIENS

LES LARMES d'une grande actrice

Une photo du YETI

DIVORCE DE G. G.

Mort de la dernière BALEINE

Début de la course VÉNUS - JUPITER

1. — Qu'est-ce que tu as fait ?
   — (garer la voiture) **J'ai** garé la voiture
   — (retourner à la fête) Je **suis** retourné à la fête.

2. Qu'est-ce qu'elles ont fait cet été ?
   Elles sont allées en Bretagne.
   Elles ont campé près d'une ferme.

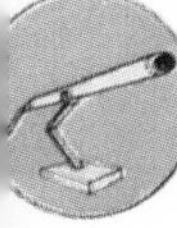

• ***L'animateur présente les 2 concurrents suivants et dialogue avec eux. Faites-les parler !***

Nom : John Smith
Nationalité : anglaise
Adresse : 6 Castle street, Liverpool
Chanson : « Love, love ».

Nom : Gina Mosca
Nationalité : italienne
Adresse : 14 via Crociferi, Rome
Chanson : « Hier tu as souri ».

• ***Vous organisez un « concours » (de chant, de danse, de poésie, de dessin). Présentez votre voisin(e), puis dialoguez avec lui/elle.***

Voici le premier concurrent, la première concurrente.
Il est ...... Il a l'air ...... Elle est ...... Elle a l'air ......
Vous êtes Monsieur ...... Madame ...... Mademoiselle ......
Vous venez d'où? Qu'est-ce que vous faites ici?
Qu'est-ce que vous faites dans la vie? ......
Qu'est-ce que vous chantez? (dansez, récitez, dessinez ......)

• ***Le mot mystérieux :***
En vous aidant d'un dictionnaire demandez/donnez une explication à votre voisin sur le modèle :

Vous : *Qu'est-ce que c'est un biniou, une ...... ?*
Est-ce que c'est un instrument de musique, un ...... ?
Qu'est-ce que ça veut dire ...... ?
C'est du français, de l'anglais, du chinois ...... ?

Lui/Elle : *C'est ......*
......
Oui/non
......
Ça veut dire ......
Je crois/je pense/je ne sais pas
......

• *Fixez un rendez-vous à votre voisin(e).*

Vous :	*On va au théâtre, au cinéma, au ......?*
Lui-Elle :	*D'accord/volontiers. Allons-y ......*
ou	*Non, je ne peux pas.*
Vous :	*Où est-ce qu'on se retrouve?*
Lui-Elle :	*Chez ......, dans ......, devant, à côté de ......, en face de ......, près de, à l'entrée de ......, à la sortie de.*

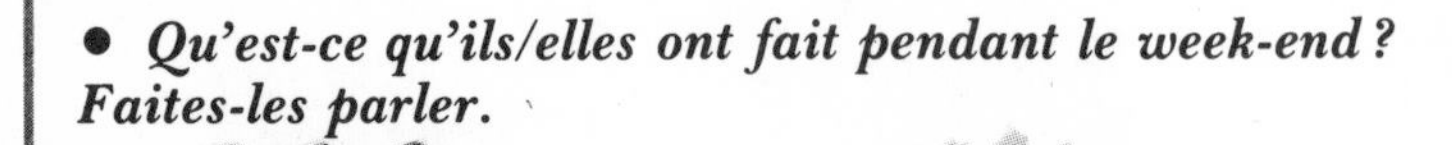

• *Qu'est-ce qu'ils/elles ont fait pendant le week-end? Faites-les parler.*

• *Dialoguez avec votre voisin(e).*

— *Qu'est-ce que tu as fait (vous avez fait) ce week-end?*
— *Où es-tu allé(e)? Où êtes-vous allé(e)? ......*

— *Et toi?*
— *Moi......*

• *Les jeunes Suisses racontent au fermier le début de leur voyage.*

(Départ Lausanne le 26 juillet - Paris du 27 juillet au 3 août - Hôtel du Luxembourg - Visite de Notre-Dame, le Louvre, la Tour Eiffel.
Départ en Bretagne le 4 août - Nuit à Rennes - Arrivée à St-Pol le 5.)

Faites-les parler. *Nous sommes partis ......*

• *Racontez vos dernières vacances ou votre dernier voyage. Vous pouvez utiliser les verbes* *partir, arriver, visiter, voir, aimer, préférer, manger, dormir, ...*

3.4 Dans les pommes...

* *Le fermier :* — Alors les jeunes, vous vous réveillez ?
Anne : — Oui, mais on a encore sommeil ! On n'a pas assez dormi.
Le fermier : — Qu'est-ce que vous avez fait hier soir ?
Vous êtes allés à la fête ?
Alain : — Oui. On a dansé, on a mangé des crêpes...
Luc : — Et on a bu !
Alain : — On a trop bu ! Moi, j'ai mal à la tête.
Le fermier : — Vous êtes fatigués ?
Alain : — On non, ça va. On est en vacances, vous savez.
Le fermier : — Alors je peux vous demander un service ? Je cueille mes pommes - Vous ne voulez pas m'aider ?
* *Tous :* — Oh si - Bien sûr - Si - Volontiers.

* *Le fermier :* — Faites attention, Marie-Claude ! Vous montez trop haut. Soyez prudente !
Anne : — Luc, tiens-lui l'échelle !
Alain : — Eh Luc, apporte-moi un panier vide !
Luc : — J'arrive.
Marie-Claude: — Ne lâche pas l'échelle !
* *Luc :* — Au secours ! Venez vite ! Marie-Claude est tombée !
Alain : — Tu t'es cassé la jambe.
Marie-Claude : — Je ne crois pas.
Le fermier : — Vous ne pouvez pas marcher Marie-Claude ?
Marie-Claude : — Si, si !
Luc : — Tu as mal ?
Marie-Claude : — Un peu ! mais ce n'est pas grave.
Anne : — Il faut appeler un médecin.
Marie-Claude : — Non, non, je n'ai rien...

Luc :	— Ouf, j'ai eu peur ! !		M. Legall. Excusez-moi.
✱ *Anne :*	— Qu'est-ce qui s'est passé ?	*Le fermier :*	— Ça ne fait rien. Des pommes, j'en ai encore !
Luc :	— J'ai lâché l'échelle et elle est tombée.	*Alain :*	— Ça s'appelle « tomber dans les pommes » !
Marie-Claude :	— Et j'ai écrasé vos pommes !		

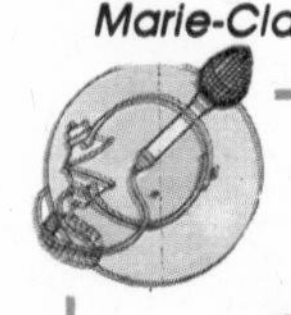

[ɑ̃]
[ɔ̃]

On part en vacances dimanche.
• ● • • ● • ●
Ils ont encore sommeil.
• • • • • ●
Attention ! Soyez prudente !
• • ● • • • ●
Non ! Non ! Vous montez trop haut !
● ● • • • • ●

Le quotidien de Brest.

FAITS DIVERS

Chute de cyclo

Hier un accident s'est produit à 6 heures du matin à la sortie de Roscoff sur la route de St-Pol.
M. Christophe Legall, 18 ans, étudiant, demeurant 15 rue des Minimes à Morlaix s'est endormi sur son vélomoteur, est tombé sur la route, et s'est cassé l'épaule droite.

BLOCS-NOTES

Dimanche 21 mars

MÉDECIN
Du samedi 20 mars à 20 h, au lundi 22 à 8 h : Dr Durand, 2 rue du Perrout, tél. : 50.16.12.
En cas d'urgence s'adresser au Centre hospitalier (médecine, chirurgie, maternité).

PHARMACIEN
Pharmacie Centrale, 217 rue Grande, tél. : 50.14.11.

AMBULANCES
Hôpital, permanence du centre hospitalier : Ambulances Avonnaises, tél. : 50.05.12.
Urgences : Ambulances Louis, 175 rue Grande, tél. : 50.08.61.
Ambulance Service, 48 rue A.-Briand, tél. : 50.61.13.

INFIRMIÈRE
Mme Fleuric, A-18, Les Peupliers, tél. : 50.18.03.

VOCABULAIRE

• **le corps**

le cou, le bras,
la main, les doigts,
l'épaule, le coude,...
le ventre le dos,
le foie, le cœur,
l'estomac...

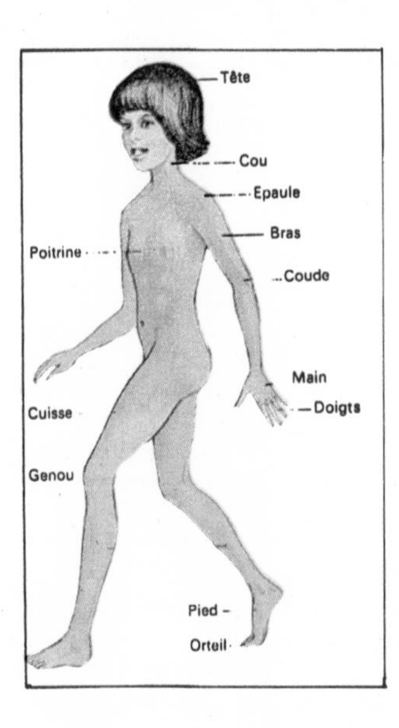

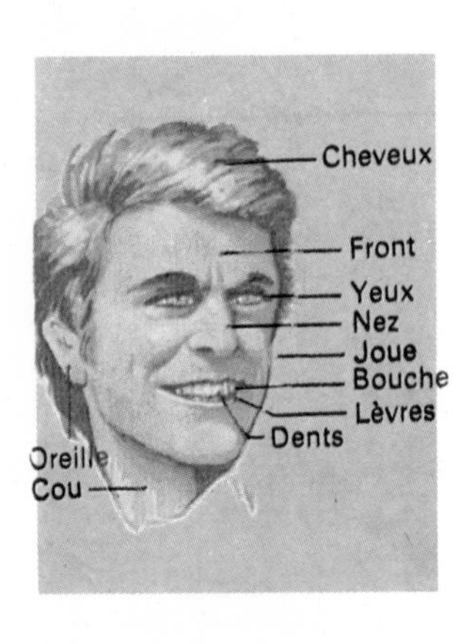

la tête

- **l'accident, la maladie,** être malade, être fatigué

avoir mal *à la tête, à la jambe, aux dents...*
se faire mal, (un mal, une douleur), se casser *la jambe, le bras, la cuisse...*, (une cassure, une fracture), se blesser (une blessure)
c'est grave, ce n'est pas grave, ce n'est rien...
Il faut appeler un médecin, une ambulance, la police, les pompiers...

- **la sécurité**

Attention ! Danger ! Danger de mort ! Au secours !
Aidez-moi ! A l'aide ! Venez vite !
Prudence ! Soyez prudents ! Faites attention !

- **les degrés**

Il n'a **pas du tout** dormi	Il a **peu** dormi	Il a **beaucoup** dormi
Il n' a **pas beaucoup** dormi	Il n'a **pas assez** dormi	Il a **trop** dormi
Il a dormi **un peu**	Il a **assez** dormi	Il a **beaucoup trop** dormi

GRAMMAIRE

1. L'interrogation négative

Tu ne peux pas marcher ?	**Non,** je ne peux pas **Si,** je peux	Ça ne va pas ?	**Si,** ça va — Non, ça ne va pas
		Ça va ?	**Oui,** ça va — Non, ça ne va pas

2. L'impératif et le pronom indirect

Parler *(donner, dire, demander, apprendre...)*

(à moi)	parle-moi	—	parlez-moi
(à lui - à elle)	parle-lui	parlons-lui	parlez-lui
(à nous)	parle-nous	—	parlez-nous
(à eux - à elles)	parle-leur	parlons-leur	parlez-leur

(Négation)

ne me parle pas	—	ne me parlez pas
ne lui parle pas	ne lui parlons pas	ne lui parlez pas
ne nous parle pas	—	ne nous parlez pas
ne leur parle pas	ne leur parlons pas	ne leur parlez pas

3. Conjugaison des verbes pronominaux (*) SE RÉVEILLER

Présent	Passé composé	Impératif
je me réveille	je me suis réveillé(e)	
tu te réveilles	tu t'es réveillé(e)	réveille-toi
il/elle/on se réveille	il/elle/on s'est réveillé(e)	
nous nous réveillons	nous nous sommes réveillés(ées)	réveillons-nous
vous vous réveillez	vous vous êtes réveillés(ées)	réveillez-vous
ils/elles se réveillent	ils/elles se sont réveillés(ées)	

(*) Au passé composé tous les verbes pronominaux se conjuguent avec « être ».

Négation	je me réveille	je **ne** me réveille **pas**
	je me suis réveillé	je **ne** me suis **pas** réveillé

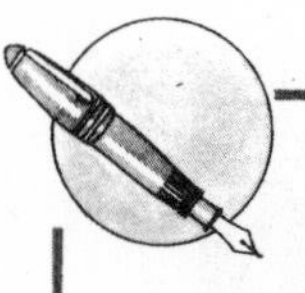

1. ***Remplacez les mots soulignés par des pronoms.***

Exemple : Écrivez au directeur. = Écrivez-lui.
Téléphonez aux journalistes. = Téléphonez-leur.

Téléphone à tes parents : ......
Téléphone à ta sœur : ......
Téléphone à ton grand-père : ......
Apporte une bière à Marie-Claude : ......
Apporte une bière à Alain : ......
Apporte une bière à Anne et à moi : ......

2. ***Mettez les verbes au passé composé :***

Hier soir, je ...... (sortir). Je ...... (aller) au restaurant avec des amis. Nous ...... très bien (manger). Puis on ...... (voir) un vieux film de Chaplin. Moi, j'...... beaucoup (rire). A la sortie, nous ...... (aller) dans un bar. On ...... trop (boire). Je ...... (se coucher) à 3 h du matin et ...... (se lever) à 9 heures. Aujourd'hui j'...... (avoir) sommeil toute la journée.

3. ***Faites des phrases en employant :*** *moi, lui, nous, leur,* **après.**

Donnez ..... Demandons ..... Achète ..... Tiens ..... Chantez ..... Vendons .....

4. ***Terminez les phrases en employant : beaucoup, trop, peu, pas assez.***

Exemple : Vous fumez beaucoup ? Oui, hier j'ai trop fumé, j'ai fumé deux paquets de cigarettes.

Elle boit beaucoup ? — Oui, hier ......
Ils travaillent beaucoup ? — Non, hier......
Elle danse beaucoup ? — Oui, hier......
Vous dormez beaucoup ? — Non, hier ......
Vos enfants mangent beaucoup ? — Oui, hier ......

5. ***A quels conseils de prudence peuvent correspondre ces panneaux ?***

6. *Racontez la journée de M. Lemercier. Qu'est-ce qu'il a fait ?*

Réveil à 7 h. Douche. Petit déjeuner à 7 h 30. Sorti à 8 h. Au bureau de 8 h 30 à 12 h. Déjeuner avec une amie. Au bureau de 14 h à 17 h 30. Apéritif avec un copain. Retour à la maison à 19 h. Dîner à 20 h. Télévision (film italien) après dîner. Coucher à 23 h.

Racontez votre journée d'hier.

7. *Vous avez été témoin de cet accident. Vous racontez.*

Marie-Claude écrit à une amie pour raconter son « accident ». Faites la lettre.

1. Demandez la permission au fermier et à la fermière → Demandez-**leur** la permission.
   Donne un panier à Luc → Donne-**lui** un panier.
   Téléphone à Anne → Téléphone-**lui**.

2. (Anne) Qu'est-ce qu'elle a fait ?
   (prendre l'échelle)
   — elle a pris l'échelle.
   Pourquoi est-ce qu'elle est tombée ?
   (monter trop haut)
   — Parce qu'elle est montée trop haut.
   Elle s'est fait mal ? (se casser la jambe)
   — Oui, elle s'est cassé la jambe.

• ***Qu'est-ce qu'ils demandent ? Faites-les parler !***

• ***Qu'est-ce qu'ils peuvent dire ?***

• **Faites-les parler :** *Hier, j'ai trop bu ; aujourd'hui, j'ai mal à la tête.*

Il/elle a l'air fatigué(e) ! Dialoguez avec votre voisin(e).

Vous :	*ça va ? ça ne va pas ?*	*vous êtes fatigué(e) ?*	*vous êtes malade ?*
Lui/Elle :	*oui/non/si*	*oui/non*	*oui/non*

Vous :	*Où avez-vous mal ?*	*Qu'est-ce que vous avez mangé/bu ? ......*
Lui/Elle :	*J'ai mal au/à la ......*	*Vous n'avez pas assez dormi ......*
Vous :	*Vous avez trop mangé/bu ......*	*Qu'est-ce que vous avez fait hier ? ......*

3.5 "Au revoir"

Anne : — On vient vous dire au revoir...
Marie-Claude : — et vous remercier.
Le fermier : — Vous rentrez chez vous ?
Alain : — Non, non, on reste encore une semaine en Bretagne, mais on va aller à Brest et à Quimper.
Le fermier : — Eh bien, bon voyage !
Anne : — Attendez ! on vous a apporté un petit cadeau. Tenez !
Le fermier : — Une boîte... Qu'est-ce que c'est ?
La fermière : — Donne-la moi. Je vais l'ouvrir... Oh ! Des chocolats suisses. Merci beaucoup. C'est trop gentil. Mais entrez, je suis en train de faire des crêpes. Vous allez les manger avec nous.
Le fermier : — Tu as du café, Yvonne ?
La fermière : — Oui, je viens d'en faire. Il est encore chaud. Tenez, asseyez-vous. Prenez des bols et des assiettes.
Luc : — Passe-moi une fourchette, Marie-Claude !
* *Anne :* — Hmm ! Elles sont bonnes, vos crêpes, Mme Legall. Vous allez me donner la recette.
La fermière : — Bien sûr. Je vais vous l'écrire tout à l'heure.
Marie-Claude : — Arrête, Luc. Ne mange pas trop vite. Tu vas être malade ! Regardez-le ! On vient de manger et il a encore faim !
La fermière : — Laissez-le. Je vais en refaire. Allez, servez-vous. Il faut les manger. Elles vont être froides.
Anne : — On va vous écrire. Vous allez nous donner votre adresse.
La fermière : — Bien sûr, c'est route de Kertanguy à Roscoff.
Anne : — Pardon ? Je n'ai pas compris ! Vous pouvez répéter ?
La fermière : — Route de Kertanguy.

Anne : — Kertanguy ? Comment ça s'écrit ?
La fermière : — K-E-R-T-A-N-G-U-Y.
Anne : — D'accord, Kertanguy.
Le fermier : — Dites, vous n'avez pas soif ?
Luc : — Oh si.
Le fermier : — Tenez, voilà du cidre et du Calva. Le cidre, nous allons le boire tout de suite, et le Calva, c'est un cadeau.
* *Tous :* — Oh merci. Merci beaucoup !
Le fermier : — De rien ! Allez, à votre santé ! Bonne chance et « Kenavo » !
Luc : — Kenavo ?
Le fermier : — C'est du breton !
Alain : — Qu'est-ce que ça veut dire ?
Le fermier : — Ça veut dire « au revoir ».
Tous : — Alors Kenavo ! Kenavo !

liaisons

On reste‿encore‿une semaine‿en Bretagne.

Vous‿allez me donner votre‿adresse.

Nous‿allons vous l'‿écrire tout‿à l'‿heure.

FICHE CUISINE

CRÊPES BRETONNES

250 g de farine.
4 œufs.
1/2 litre de lait.
1 cuillerée à soupe de sucre.
1 cuillerée à café de sel.
50 g de beurre.
1 cuillerée à soupe de Calvados.

- Mélanger la farine avec les œufs, le sel, le sucre et le lait froid.
- Ajouter le beurre et le Calva.
- Attendre une ou deux heures.
- Dans une poêle chaude et beurrée, verser assez de pâte, mais pas trop.
- Cuire une ou deux minutes et retourner la crêpe.

1. *Versez la pâte avec la louche.*
2. *Étalez avec le « râteau ».*
3. *Retournez la crêpe avec la spatule.*

VOCABULAIRE

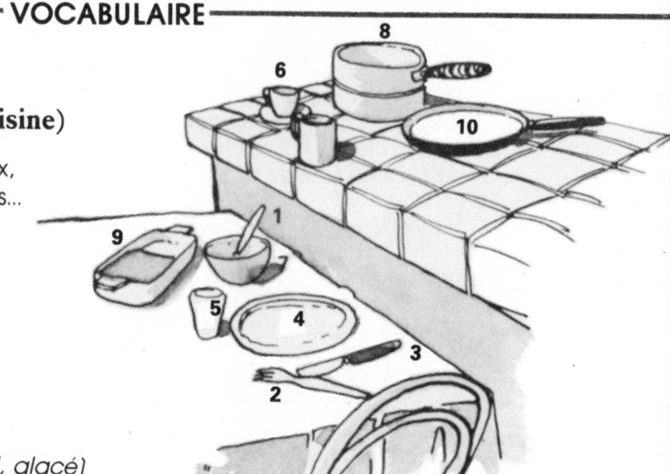

• la vaisselle (les ustensiles de cuisine)

Les cuillères, les fourchettes, les couteaux,
les assiettes, les verres, les tasses, les bols...
Une casserole, un plat, une poêle...

• la cuisine

Le frigidaire *(réfrigérateur)*
la cuisinière, le four
éplucher, mélanger, cuire, faire cuire,
mettre au four, servir chaud, *(tiède, froid, glacé)*

• l'état physique : avoir...

faim, soif, chaud, froid, sommeil...
avoir envie/besoin...
de manger, de boire, de dormir...
être... fatigué, malade, guéri...

• les souhaits (je vous souhaite...)

bon appétit, bonne chance, bon courage...
bon voyage, bonnes vacances, bon week-end...
(Je bois...) à votre santé ! A la vôtre !...

• demander une explication

Pardon ? Je n'ai pas compris !/Je ne comprends pas !

Vous pouvez répéter ?	Répétez, s'il vous plaît !
Vous pouvez épeler ?	Épelez, s'il vous plaît !
Qu'est-ce que ça veut dire ?	Ça veut dire...
Comment ça se dit *(en français)* ?	Ça se dit...
Comment ça s'appelle ?	Ça s'appelle...
Comment ça s'écrit ?	Ça s'écrit : ...

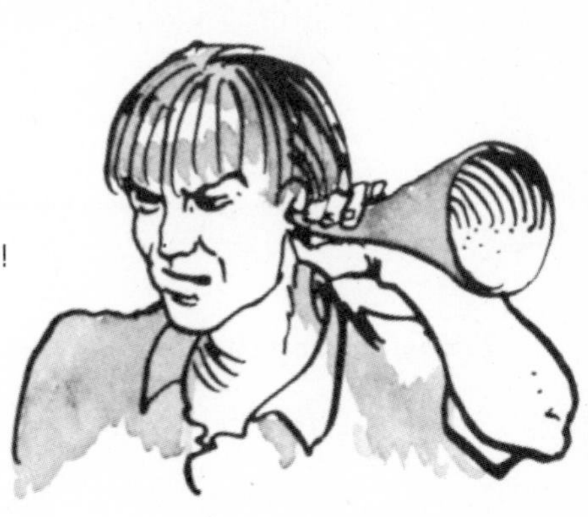

GRAMMAIRE

1. pronoms personnels (compléments directs) : le, la, l', les

remplace un nom...

masculin singulier	c'est un cadeau, je **le** prends voilà Jacques, je **le** connais	ouvre-**le** appelle-**le**	(je **l'**ouvre) (je **l'**appelle)
féminin singulier	c'est une boîte, je **la** prends voilà Anne, je **la** connais	ouvre-**la** appelle-**la**	(je **l'**ouvre) (je **l'**appelle)
masculin ou féminin pluriel	ce sont des fruits, ce sont des crêpes, je **les** prends voilà Jacques et Luc, voilà Anne et Françoise, je **les** connais	achète-**les** appelle-**les**	(je **les** achète) (je **les** appelle)

2. présent continu, futur proche, passé récent

Présent continu

(être au présent)
je suis
tu es
il/elle/on est + *en train de + infinitif*
nous sommes
vous êtes
ils/elles sont

Passé récent

(venir au présent)
je viens
tu viens
il/elle/on vient + *de + infinitif*
nous venons
vous venez
ils/elles viennent

Futur proche

(aller au présent)
je vais
tu vas
il/elle/on va + *infinitif*
nous allons
vous allez
ils/elles vont

elle va faire des crêpes
elle est en train de faire des crêpes
elle vient de faire des crêpes

3. un verbe, 4 constructions : venir

venir (+ date, heure) : ils viennent dimanche à 3 heures
venir de (+ lieu) : ils viennent du Japon/ils en viennent
venir + infinitif : ils viennent dire au revoir
venir de + infinitif : ils viennent de manger des crêpes.

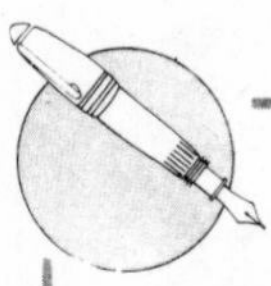

1. *Transformez suivant les modèles*

a) *Est-ce qu'ils partent ? → Est-ce qu'ils vont partir ?*
Elle va en Bretagne. → Elle va aller en Bretagne.

Où faites-vous vos courses ?
Qu'est-ce que vous faites ce week-end ?
Passez-vous vos vacances en Espagne cet été ?
Ils vont au Mexique.

b) *Ils sont partis. → Ils viennent de partir.*
Elle est allée faire des courses. → Elle vient d'aller faire des courses.

Nous avons acheté une nouvelle voiture.
J'ai passé une semaine en Bretagne.
Elle est sortie.
Il est allé chercher le journal.

2. *Qu'est-ce qu'ils viennent de faire ? Qu'est-ce qu'ils sont en train de faire ? Qu'est-ce qu'ils vont faire ?*

Exemple (Alain) *- 7 heures réveil - 8 heures petit déjeuner - 9 heures départ au bureau.*
Il est 8 heures : *Alain vient de se réveiller, il est en train de prendre son petit déjeuner, il va partir au bureau.*

(Françoise) *- 9 heures lire le journal - 9 heures 30 écrire une lettre - 10 heures téléphoner à sa mère (Il est 9 h 30 mn).*
(Didier et Brigitte) *- 11 heures 30 prendre l'apéritif - 12 heures 30 déjeuner au restaurant - 14 heures aller au cinéma (Il est 12 heures 30).*
(Jeanne et Corinne) *- 21 heures dîner - 22 heures regarder la télévision - 23 heures 30 aller se coucher (Il est 22 heures).*

Et vous, qu'est-ce que vous êtes en train de faire ?
Qu'est-ce que vous venez de faire ? Qu'est-ce que vous allez faire ?
Répondez par écrit.

3. *Le jour de son accident Marie-Claude écrit à sa mère pour lui dire ce qu'elle fait, ce qu'elle a fait, ce qu'elle vient de faire et ce qu'elle va faire.*
Faites la lettre.

4. *Anne répond aux questions d'Alain.*
Notez ses réponses en remplaçant les noms par le, la, les.

Exemple : Est-ce que tu connais... ? ... la recette des crêpes ? (oui) Elle la connaît bien

les amis de Luc (oui)
la route de Brest (non)
la ville de Morlaix (oui)
le camping de Saint-Pol (non)
Mme Legall (oui)
les filles de Mme Artaud (non)

5. *Remplacez* LE, LA, L', LES *par un nom :*

1. *Je vais la vendre, je vais vendre la ......*
2. *Il vient de la voir ......*
3. *Elle va l'acheter ......*
4. *Il faut l'applaudir ......*
5. *On va les inviter ......*

6. *Le fils de Mme Delors a attrapé la grippe - Sa grand-mère écrit à Sophie. Faites la lettre en employant :*

il a mal à ...... - il a envie de ...... - il n'a pas envie de ...... - il a faim, soif ...... je viens de ...... - je vais ......

7. *Écrivez la recette de l'omelette aux champignons.*

(6 œufs, des champignons, des fines herbes, du sel, du poivre, de l'huile ou du beurre)
(vous pouvez employer des verbes à l'impératif : « mélangez », à l'indicatif : « vous mélangez », ou à l'infinitif : « mélanger »)

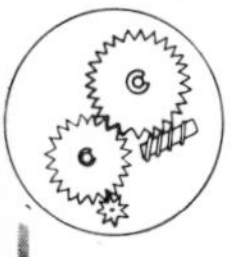

1. Tu vas faire du café ?	Non, je viens d'en faire.
Elle va aller à la boulangerie ?	Non, elle vient d'y aller.
Vous allez téléphoner aux copains ?	Non, nous venons de leur téléphoner.
Il va acheter le journal ?	Non, il vient de l'acheter.
2. Vous avez fait le thé ?	Non, je suis en train de le faire.
Elle a écrit ses cartes postales ?	Non, elle est en train de les écrire.

• ***Il pense aux vacances. Qu'est-ce qu'il va faire ? Faites-le parler !***
Et vous, qu'est-ce que vous allez faire cet été ?

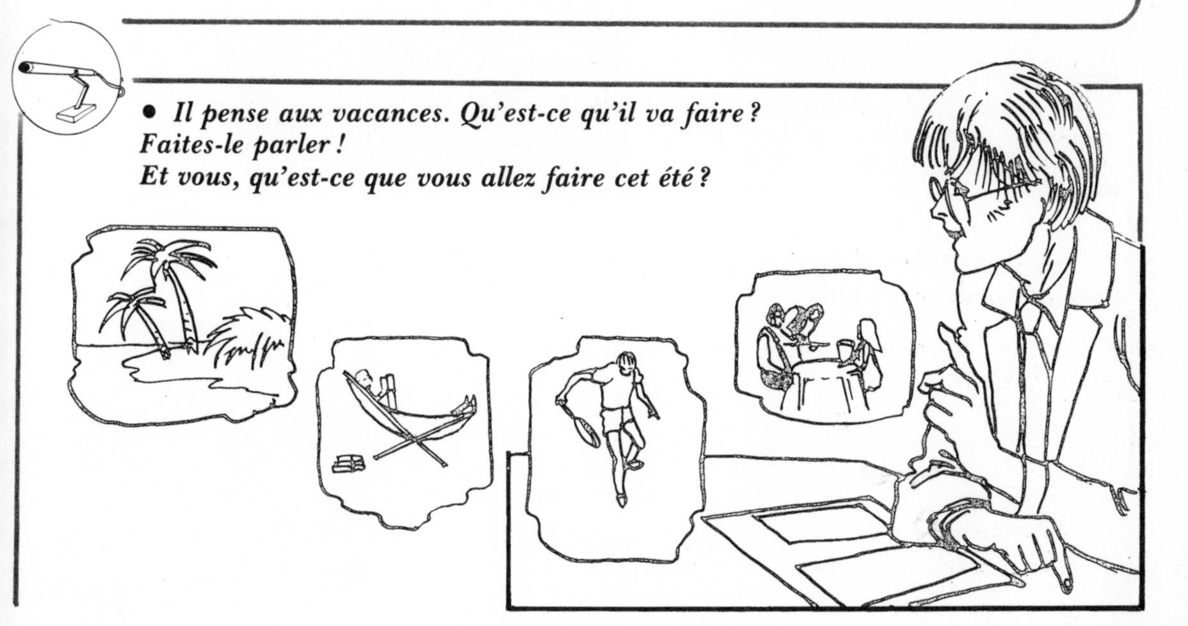

• ***Qu'est-ce qu'ils viennent de faire ?***
Qu'est-ce qu'ils sont en train de faire ?
Qu'est-ce qu'ils vont faire ?

• ***Dialoguez avec votre voisin(e).***

Vous : *Qu'est-ce que tu fais ?*
Lui/Elle : *Je suis en train de ...... Je viens de ...... et cet après-midi/tout à l'heure/ce soir ...... je ...... Et toi ? qu'est-ce que tu fais ?*
Vous : *Moi, je ......*

• ***Vous demandez à votre voisin la recette d'un plat (ou d'une boisson) de son pays. Il vous la donne (oralement), vous essayez de noter.***

Vous : *J'ai envie de faire (manger, boire) du, de la ...... Tu peux me donner la recette ?*
Lui/Elle : *Tu prends ..... Tu mélanges ...... tu ......*
Vous : *Attends ! Je n'ai pas bien compris ! Comment ça s'écrit ? Tu peux répéter ? Épelle s'il te plaît ! Qu'est-ce que ça veut dire ?*

• ***Qu'est-ce qu'ils peuvent dire ?***

• ***C'est l'anniversaire (la fête) d'un(e) ami(e).***
Vous apportez des cadeaux.

Il/Elle vous invite à prendre « un verre », un gâteau ....
Jouez la scène.

(L'arrivée) : *Bonjour ! ça va ? ......*
Vous : *Bon anniversaire ! Je t'ai apporté .....*
Merci ...... Qu'est-ce que c'est ? ....
Lui/Elle : *Tu n'as pas faim / soif ? Prends ......*
(puis les « adieux ») : *Au revoir, à bientôt ......*

BILAN

A. Tests

1. Recopiez et complétez les tableaux ci-dessous :

2e pers. sing.	mange	......	......	......	va	......	bois	......	......	arrête-toi
1re pers. plur.	......	soyons	......	attendons	......	......	...	commençons	....	
2e pers. plur.	......	......	faites	......	......	écrivez	......	......	dormez	......

PRÉSENT CONTINU	PASSÉ COMPOSÉ	PASSÉ RÉCENT	FUTUR IMMÉDIAT
je suis en train d'écouter la radio	....	....	....
....	....	....	vous allez comprendre
....	....	ils viennent de partir	....
tu es en train de l'attendre ?	....	....	....
....	j'ai téléphoné à ma sœur	....	....
....	....	nous venons de visiter Brest	....
elle est en train de chanter	....	....	....
....	....	....	nous allons dîner
....	Jacques a fait un gâteau	....	....

2. Choisissez la bonne réponse

Tu as garé la voiture ?
— Oui, je la gare.
— Oui, je l'ai garée.
— Oui, je vais le faire.
On va à la fête ?
— D'accord. Vas-y.
— D'accord. Allons-y.
— Oui. On y est allé.
Il y a du café ?
— Non, mais je viens d'en faire.
— Non, mais j'en ai fait.
— Non, mais je vais en faire.
Tu vas à la plage ?
— Oui, j'y vais.
— Oui, j'y suis allé.
— Oui, je viens d'y aller.
Vous avez la recette des crêpes ?
— Oui, je vais vous les écrire.
— Oui, je vais vous l'écrire.
— Oui, je vais vous en écrire.

3. Choisissez la bonne réponse

On peut camper ici ?
— Oui, oui, c'est défendu.
— Oui, oui, c'est permis.
— Oui, oui, c'est interdit.
On n'a pas beaucoup de pain !
— Alors, n'en achète pas.
— Alors, va en acheter !
— Alors, il ne faut pas en acheter.
Vous n'êtes pas français ?
— Oui, je suis français.
— Bien sûr, je suis français.
— Mais si, je suis français.
Vous avez encore sommeil ?
— Oui, j'ai trop dormi.
— Oui, j'ai beaucoup dormi.
— Oui, je n'ai pas assez dormi.
D'où venez-vous ?
— Nous venons manger avec vous.
— Nous venons du Café du Port.
— Nous venons vous dire au revoir.

4. *Écrivez le contraire*

C'est permis.
J'ai chaud.
J'ai pensé aux cigarettes.
Elle est gaie.
Ils ont trop d'argent.
J'adore le ski.
Les spectateurs ont applaudi.
Il monte les escaliers.
Vous restez ?
Ils entrent dans le magasin.

5. *Trouvez les pronoms qui manquent*

Vous êtes américaines ?
— Non, ... je suis australienne et elle, ... est irlandaise.
Ils habitent à l'hôtel ?
— Non, elle, ... habite chez un ami. Et ......, il habite un studio.
Alors, Jacques, vous avez passé de bonnes vacances, tes amis et toi ?
— Moi oui. Mais ......, ils ont eu un accident de voiture.
Vous êtes des touristes ?
— Elle oui, mais ...... j'habite ici.
Vous avez fait les courses ?
— Oui, nous, ... avons acheté les hors-d'œuvre et la viande.
Et ......, ils ont acheté les gâteaux et le vin.

6. *Complétez en employant VENIR DE... ou ALLER...*

Tu vas faire le concours ? — Oui, je ...... (chanter) « Le temps des cerises » !
Il y a trois paquets de cigarettes ! — Bien sûr, je ...... (acheter) !
Elle est neuve, sa voiture ? — Oui, il ...... (acheter).
Elle s'est fait mal ? — Oui, elle ...... (tomber).
On peut camper ici ? — Je ne sais pas, mais je ...... (demander).
Vous partez quand ? — Nous ne partons pas, nous ...... (arriver) !
Il faut ranger le salon ! — Bon, nous ...... (ranger).
Vous leur avez dit merci ? — Non, mais nous ...... (faire).
Il n'y a plus de café ! — Bon, je ...... (faire).
Il ne dort plus ? — Non, il ...... (se réveiller).

7. *Trouvez les questions*

— Nous venons de Suisse.
— Elle est allée chez le coiffeur.
— Je pars au Mexique.
— Ils vont à Madrid.
— Elle arrive de Munich.
— Nous avons dormi dans la voiture.
— J'ai garé la voiture devant la poste.
— Elle va chez une amie.
— J'habite à Paris, place de la Contrescarpe.
— Je viens de chez Juliette.

9. *Répondez en employant Y ou EN :*

Vous venez de Bretagne ? — Oui, ...
Le guide parle de Brasparts ? — Non, ...
Vos amis sont à Concarneau ? — Oui, ...
Vous jouez du piano ? — Non, ...
Vous achetez des disques ? — Oui, ...
Elles habitent à Lausanne ? — Non, ...
Tu prends du café ? — Non, ...
Ils vont au théâtre ? — Oui, ...
Tu as de l'argent ? — Non, ...
Tu penses à la voiture ? — Oui, ...

8. *Choisissez la bonne réponse :*

Maman, j'ai peur !
— Mais non, n'ayons pas peur.
— Mais non, n'ayez pas peur.
— Mais non, n'aie pas peur.

On les attend ?
— Non, ne les attendons pas.
— Non, ne les attends pas.
— Non, ne les attendez pas.

Vous êtes malade ? — Oui.
— Alors ne te lève pas.
— Alors ne vous levez pas.
— Alors ne nous levons pas.

Monsieur l'agent, je peux me garer ?
— Non, ne te gare pas ici.
— Non, ne nous garons pas ici.
— Non, ne vous garez pas ici.

Viens, chérie. Je n'aime pas ces gens.
— Alors ne restez pas ici.
— Alors ne restons pas ici.
— Alors ne reste pas ici.

10. *Mettez le pronom qui convient :*

Il est avec sa sœur. Il ...... parle.
Il est avec ses amis. Il ...... parle.
Ta voiture est trop vieille : vends ......
— Je ...... ai vendue hier !
Vous parlez à ces gens ?
— Non, nous ne ...... parlons pas.
Tu as invité les Guimard ?
— Non, je ne ...... ai pas invités.
Tu veux sa voiture ? Il faut ...... lui demander.
Je peux regarder tes livres ? — Oui, regarde ......
Je peux téléphoner à tes parents ? — Oui, téléphone ......
Tu n'as plus de vêtements !
Achète ...... un beau blouson.
Je n'ai plus de cigarettes. Tu ...... en achètes ?
On peut venir ? C'est vrai ? Vous ...... invitez ?
Les enfants veulent une glace.
— Oh oui, Papa, achète ...... une glace !
Je vous ai écrit une lettre ; vous ...... avez lue ?
J'ai une grande maison. Viens chez ......

B. Texte complémentaire

Frédéric : — Allô... ici Frédéric. Est-ce que je peux parler à Francine, s'il vous plaît ?

— Elle dort.

Frédéric : — Alors ne la réveillez pas.

— Si, si. Elle travaille à neuf heures et demie. Je vais l'appeler. Ah ! Elle vient de se réveiller. Francine ! Téléphone.

Francine : — Qui c'est ?

— Ton copain de Paris, Frédéric.

Francine : — Allô ? Frédéric ?

Frédéric : — Bonjour, Francine. Excuse-moi, je te réveille.

Francine : — Non, non. D'où est-ce que tu m'appelles ?

Frédéric : — De Roissy. Je viens d'arriver à mon travail.

Francine : — Mais quelle heure est-il ?

Frédéric : — Huit heures et demie.

Francine : — Oh là là ! J'ai encore sommeil. Je n'ai pas assez dormi.

Frédéric : — Qu'est-ce que tu as fait hier soir ?

Francine : — Je suis allée au cinéma avec des amis. Ensuite on est allé dîner et on a pris un verre dans un bar. J'ai un peu trop bu. J'ai mal à la tête aujourd'hui.

Frédéric : — Tu es rentrée à quelle heure ?

Francine : — A trois heures du matin. Et toi, qu'est-ce que tu as fait hier soir ?

Frédéric : — Je suis resté chez moi, j'ai travaillé ma guitare et... j'ai pensé à toi.

Francine : — Ah, c'est gentil.

Frédéric : — Qu'est-ce que tu fais ce week-end ?

Francine : — Je ne sais pas.

Frédéric : — Moi, je ne travaille pas vendredi. Je peux venir à Lyon ? Tu m'invites ?

Francine : — Bien sûr.

Frédéric : — Je peux être à Lyon dans l'après-midi.

Francine : — Moi, je travaille, mais je suis libre à cinq heures. Mais, dis, tu as mon adresse ?

Frédéric : — Non, je ne l'ai pas.

Francine : — Tu as quelque chose pour écrire ?

Frédéric : — Attends, je vais prendre un stylo... voilà.

Francine : — Alors, c'est 11 rue Raynouard.

Frédéric : — Tu peux répéter ? Je n'ai pas compris.

Francine : — 11 rue Raynouard.

Frédéric : — Renoir ?

Francine : — Non : Raynouard. Je vais épeler : R-A-Y-N-O-U-A-R-D. Tu as compris ?

Frédéric : — Oui, oui.

Francine : — Je viens t'attendre à la gare ?

Frédéric : — Mais non. Je connais bien Lyon. J'y ai habité deux ans.

Francine : — Bon. Alors, à vendredi ?

Frédéric : — D'accord, à vendredi. Je t'embrasse.

Francine : — A bientôt.

C. Images pour :

« Il faut voir Roscoff »

ROSCOFF est, d'octobre à mai, une petite ville de 4 000 habitants. Mais de juin à septembre, 50 000 touristes — Parisiens, étrangers (Anglais et Allemands surtout) — viennent visiter les plages de sable fin, les vieilles rues, le port. Ils viennent aussi se reposer et se « soigner » : l'eau de mer chaude est très bonne pour les rhumatismes et les fractures. Dans le vieux port, on voit des bateaux à voile et des bateaux de pêche « langoustiers ». Ils vont pêcher la langouste et le crabe près des îles anglo-normandes ou de la Cornouaille anglaise.
ROSCOFF a été un grand port de commerce et de guerre du XVe au XVIIIe siècle. En 1404, l'amiral Jean du Penhoat est parti de Roscoff pour combattre les Anglais (bataille du Cap Saint-Mathieu). En 1548, Marie STUART est arrivée d'Angleterre pour se marier avec le « dauphin » de France, François II.
Au XVIIIe siècle, ROSCOFF est un « repaire de corsaires ».

AU VIEUX ROSCOFF

Trou de flibustiers, vieux nid
A corsaires ! Dans la tourmente
Dors ton bon somme de granit...
Dors : sous les noires cheminées
Écoute rêver tes enfants,
Mousses de quatre-vingt-dix ans...
Épaves des belles années...

Tristan Corbière, *Les amours jaunes* (Éd. Gallimard).

« C'est du breton, FEST NOZ » ?

Oui, c'est du breton ! Ça vient de « fest », la fête et « noz », la nuit. Le soir de la fête, on allume un grand feu. Jeunes et vieux dansent, les vieux quelquefois en costume traditionnel, les jeunes en blue jean ! Il n'y a pas beaucoup de touristes. On mange des crêpes, on boit du cidre et du « chouchen » (un alcool fait avec du cidre, du miel et du calvados) ; les musiciens jouent du biniou (une petite cornemuse) et de la bombarde (un petit instrument, mais il fait beaucoup de bruit), des chanteurs chantent en breton de très longues chansons, les « Kan ha diskan » (chant et rechant). Le premier chanteur chante la première phrase, le deuxième chanteur la répète, etc.
On danse en ligne ou en groupe la « gavotte », le « jabadao » ou « l'an-dro ».

D. Aide-mémoire

1. Les Pronoms personnels

	A	B	C	D (*)
1re pers. sing. 2e pers. sing. 3e pers. sing.	je (j') tu il, elle, on	me (m') te (t') le, la (l') [se]*	me (m') [moi] te (t') [toi]* lui	moi toi lui, elle
1re pers. plur. 2e pers. plur. 3e pers. plur.	nous vous ils, elles	nous vous les [se]	nous vous leur	nous vous eux, elles

A. Pronoms personnels sujets :
elle travaille, **nous** allons à la plage, **on** habite à Paris...

B. Pronoms personnels compléments directs :
je **le** connais, on **la** connaît, on **les** connaît
(*) avec les verbes pronominaux :
je **me** lave, tu **te** laves, il **se** lave...

C. Pronoms personnels compléments indirects (sans préposition) :
il **me** donne, il **lui** donne... des chocolats, il **leur** donne des chocolats (à Pierre et Marie)
(*) avec les impératifs : donne-**moi** des chocolats ! Approche-**toi** !

D. Pronoms personnels compléments indirects (avec préposition) :
c'est à **lui** (Pierre), c'est à **elle** (Marie)
je vais chez **eux,** je vais chez **elles.**

(*) ou pour l'insistance **moi,** je travaille ; **toi,** tu dors...

2. Les participes passés

1. Les verbes en **er** (1er groupe) font **é** au participe passé
ex. : jouer → joué

2. Les verbes en **ir** (2e groupe) font **i**
ex. : finir → fini

3. Les autres verbes (3e groupe) ont des terminaisons variées.

en **é**	naître → né	être → été	
en **it**	dire → dit	écrire → écrit	
en **is**	mettre → mis	permettre → permis	prendre → pris
en **u**	boire → bu	pouvoir → pu	avoir → eu
	voir → vu	savoir → su	
	venir → venu	tenir → tenu	
	vendre → vendu	attendre → attendu	
en **ert**	ouvrir → ouvert		
en **ort**	mourir → mort		
en **ait**	faire → fait...		

3. Les adjectifs numéraux ordinaux

un	premier	onze	onzième
deux	deuxième (second)	....	....
trois	troisième	....	....
quatre	quatrième	dix-neuf	dix-neuvième
cinq	cinquième	....	....
six	sixième	cent	centième
sept	septième	....	....
huit	huitième	mille	millième
neuf	neuvième	....	....
dix	dixième	million	millionième

(E. *Conjugaisons* : voir Bilan 4, page 148.)

4. Les fêtes de l'année en 1982 :

Jour de l'An	Vendredi **1er janvier**
Mardi Gras	Mardi 23 février
Pâques	Dimanche 11 avril
Fête du Travail	Samedi **1er mai**
Armistice 1945	Samedi **8 mai**
Ascension	Jeudi 20 mai
Pentecôte	Dimanche 30 mai
Fête des Mères	Dimanche 6 juin
Fête Dieu	Dimanche 13 juin
Fête Nationale	Mercredi **14 juillet**
Assomption	Dimanche **15 août**
Toussaint	Lundi **1er novembre**
Fête de la Victoire	Jeudi **11 novembre**
Noël	Samedi **25 décembre**

4 4.1 Les Pellicier déménagent

M. Pellicier : — Les enfants, j'ai une bonne nouvelle à vous annoncer : nous allons déménager !

Gérard : — Tu appelles ça une bonne nouvelle ! Je ne suis pas d'accord ! On est bien ici. On a nos copains ; je n'ai pas envie de déménager.

Virginie : — Moi non plus, je préfère rester là ! Et où on va, d'abord ?

Mme Pellicier : — Devinez !

Gérard : — A Paris ou en province ?

M. Pellicier : — En province.

Gérard : — Oh là là !

Virginie : — C'est au nord ou au sud ?

Mme Pellicier : — C'est au sud.

Gérard : — C'est à combien de km de Paris ?

Mme Pellicier : — A 800 km environ.

Virginie : — C'est au bord de la mer ?

Mme Pellicier : — Oui.

Gérard : — C'est à Marseille !

M. Pellicier : — Non, c'est à 150 km à l'ouest de Marseille.

Virginie : — Ce n'est pas à Montpellier ?

M. Pellicier : — Si ! Bravo, tu as trouvé.

* *Gérard :* — Et pourquoi est-ce qu'on va à Montpellier ?

M. Pellicier : — Parce qu'IBM m'envoie à l'usine de la Pompignane. Je viens d'avoir une promotion. En septembre, je serai ingénieur en chef à Montpellier.

Gérard : — Ah bon !

Virginie : — Et Maman, qu'est-ce qu'elle deviendra ? Elle aura un travail ou elle sera au chômage ?

Mme Pellicier : — Ne t'inquiète pas ! Je retrouverai un poste de documentaliste.

Gérard : — Et mes études ? Je passe le bac cette année. L'an prochain je serai à la fac.

M. Pellicier : — Ce n'est pas un village, Montpellier ! Il y a une université.

* *Virginie :* — Où est-ce, la Pompignane ?

M. Pellicier : — C'est dans la banlieue de Montpellier, à Castelnau.

Virginie : — C'est loin du centre ?

M. Pellicier : — Non, tout près, à sept ou h kilomètres.

Gérard : — Et on habitera où ? A Caste nau ?

Mme Pellicier : — Bien sûr.

* *Gérard :* — Alors il me faudra une moto.

Mme Pellicier : — Pourquoi ?

Gérard : — Eh bien, pour aller à la fac !

Virginie : — Et moi, un vélomoteur po aller au lycée.

Mme Pellicier : — Ah non ! Je suis contre ! C'e dangereux les deux-roues.

Gérard : — Mais Maman, on en aura b soin. Tu ne pourras pas nous co duire au lycée et à la fac !

Virginie : — C'est vrai, Maman, il a raiso

Mme Pellicier : — Bon, bon, je réfléchirai.

M. Pellicier : — Bien sûr, et moi, je payerai.

[ʃ] [ʒ]

En septembre je serai ingénieur en chef.

L'an prochain, je serai à la fac.

Je ne serai pas au chômage.

Je ne changerai pas de travail.

Gérard et Virginie vont déménager.

Vous voulez

- *avoir une bonne situation ?*
- *faire un travail passionnant ?*
- *habiter en province ?*
- *vivre dans une ville agréable ?*
- *être près de la mer et de la montagne ?*

... CHOISISSEZ IBM-FRANCE.

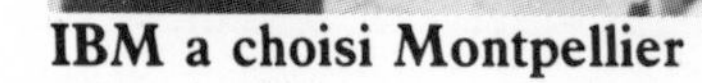

IBM a choisi Montpellier

IBM a choisi Montpellier et s'est installé à la Pompignane, près du centre de la ville, sur un terrain de 48 hectares. Avec ses 2 390 employés (2 095 hommes, 295 femmes), la Pompignane est la troisième usine IBM de France.

IBM Montpellier construit en ce moment la dernière merveille d'IBM : l'ordinateur 30 81. Le 30 81 servira aux grandes entreprises comme EDF, aux banques et aux centres de recherches scientifiques.

Un employé d'IBM vous parle

« Je suis entré chez IBM en 1965 avec mon Brevet de technicien. Les années ont vite passé ; il y a eu beaucoup de changements ; l'usine a grandi ; mon travail est devenu très intéressant. L'an prochain, je serai cadre et mon salaire passera de 10 000 à 12 000 ou 13 000 F par mois. Vivre en Province ? J'aime bien. Ici la mer est à 10 km, la montagne à 90. Paris est à 1 heure d'avion et, avec le TGV, à 5 h de train. »

POUR ALLER DE **MONTPELLIER À PARIS** *EN 5 H*

ÊTRE À L'HEURE... FAIRE UN VOYAGE AGRÉABLE... PRENEZ LE **TGV** *!*

VOCABULAIRE

• les travailleurs

un employé
un ouvrier
un cadre......

un technicien
un ingénieur
un commerçant......

un artisan
un fonctionnaire
un agriculteur......

• les lieux de travail

Une entreprise, une usine, un magasin (un commerce), une administration (EDF, PTT, Éducation Nationale)...

• la vie professionnelle

Une promotion : un technicien devient cadre.
Une augmentation : son salaire passe de 10 000 à 12 000 F. Il gagnera 12 000 F.
Une situation : un emploi, un travail, un poste.
Un chômeur : il a perdu son emploi ; il est au chômage.

• les études

à l'école *(primaire)* — un *(e)* écolier *(ière)*
au collège — un *(e)* collégien *(ienne)*
au lycée — un *(e)* lycéen *(éenne)*
à l'université, à la faculté (la *« fac »*) — un *(e)* étudiant *(e)*

un étudiant en lettres *(dans une faculté des lettres)*, en médecine *(dans une faculté de médecine)*, en droit *(dans une faculté de droit)*, en sciences *(dans une faculté des sciences)*,......

• la date

1981	*1982*	*1983*	*1984*	*1985*	*1986*
il y a 2 ans	l'année dernière *(l'an dernier)*	**cette année**	l'année prochaine *(l'an prochain)*	dans 2 ans	dans 3 ans

• les moyens de locomotion, les voyages

l'auto *(la voiture)*
la moto
le vélomoteur
le vélo *(la bicyclette)*
le train *(le TGV)*

l'avion
le bateau
le taxi
le bus *(l'autobus)*
le car......

aller en *(voiture, taxi ......)*
aller par ...... *(le train, bateau)*
prendre ...... *(le bus, l'avion, un taxi...)*
voyager en ...... *(bateau, avion ......)*
faire ...... *(de la moto, du vélo ......)*

- **l'orientation, la situation (dans l'espace)**

— au nord, au sud, à l'est, à l'ouest ......
— dans le nord, dans le « Midi » ...... *(de la France)*
— dans le centre, en banlieue, à Paris, en province ......
— en ville, à la campagne ......
— au bord de la mer, tout près de la montagne ......
— à l'entrée, à la sortie *(de la ville, du village)* ......

- **pour ou contre ?**

pour

je suis pour
je suis d'accord
c'est vrai
tu as raison
j'ai envie...
moi aussi

contre

je suis contre
je ne suis pas d'accord
ce n'est pas vrai (c'est faux)
tu as tort
je n'ai pas envie de...
moi non plus

GRAMMAIRE

1. Le futur de l'indicatif (*)

AIMER	ÊTRE	AVOIR	CONDUIRE
J'aimerai	Je serai	J'aurai	Je conduirai
tu aimeras	tu seras	tu auras	tu conduiras
il/elle/on aimera	il/elle/on sera	il/elle/on aura	il/elle/on conduira
nous aimerons	nous serons	nous aurons	nous conduirons
vous aimerez	vous serez	vous aurez	vous conduirez
ils/elles aimeront	ils/elles seront	ils/elles auront	ils/elles conduiront

PRENDRE	ALLER	FAIRE
Je prendrai	J'irai	Je ferai
tu prendras	tu iras	tu feras
il/elle/on prendra	il/elle/on ira	il/elle/on fera
nous prendrons	nous irons	nous ferons
vous prendrez	vous irez	vous ferez
ils/elles prendront	ils/elles iront	ils/elles feront

(*) *Terminaisons :* rai - ras - ra - rons- rez - ront

2. Avoir ...... à ...... / Falloir ...... pour ......

avoir + nom + à + infinitif
j'ai une nouvelle à vous annoncer
il a un travail à faire
j'ai un renseignement à demander

falloir + nom + pour + infinitif
il me faut une moto pour aller à la fac
il faudra de l'argent pour acheter des fruits
il me faut une échelle pour cueillir les pommes

3. L'interrogation : Pourquoi ?

— *sur la cause* Pourquoi vont-ils aller à Montpellier ? Parce qu'IBM y envoie M. Pellicier
— *sur le but* Pourquoi veux-tu une moto ? Pour aller à la fac

1. *Écrivez au futur les verbes entre parenthèses.*

L'an prochain, les Pellicier (habiter) près de Montpellier. M. Pellicier (être) ingénieur en chef chez IBM et Mme Pellicier (avoir) un emploi de documentaliste. Leur fils (aller) à la fac et leur fille au lycée. Il leur (falloir) des deux-roues pour aller au travail. M. Pellicier (acheter) une moto et un vélomoteur.

2. *Relisez le texte et complétez les phrases suivantes :*

Les Pellicier habitent Paris. L'an prochain, ils ......
Mme Pellicier est documentaliste. A Montpellier ......
M. Pellicier est ingénieur. Là-bas, ...
Gérard passe le bac cette année. L'an prochain ......
Il n'a pas de moto. Pour aller à la fac ......
Virginie n'a pas de vélomoteur. Avec un vélomoteur ......
A Paris, ils n'ont pas besoin de deux-roues. A Montpellier, ...

3. *Transformez les publicités ci-dessus en employant le futur :*

a) Choisissez IBM France, vous aurez ......
b) J'ai choisi IBM France, j'aurai ......
Ils ont choisi le TGV, ils ......
Nous avons choisi le TGV, nous ......

4. *Situez votre pays et votre ville.*

J'habite à ......
c'est à ...... km de ......
au nord, au sud de ......
tout près de ......

5. *Une nouvelle entreprise s'est installée près de chez vous (dans votre ville ou votre pays). Sur le modèle des documents ci-dessus, vous présentez cette entreprise, ses employés. Vous indiquez précisément son emplacement.*

au nord, au sud de ...... près de ...... au bord de ...... en ville, à la campagne ......

6. *Choisissez la (ou les) bonne(s) réponse(s) (attention : il peut y en avoir une, deux ou trois).*

J'ai envie d'acheter une grosse moto ! — Moi non plus. — C'est faux. — Pas d'accord.

Je n'irai pas avec vous à Montpellier ! — Moi aussi. — Moi non plus. — Mais non !

C'est bien, la province ! — C'est vrai. — Tu as raison. — Je ne suis pas d'accord.

Je préfère habiter dans un village ! — Tu as raison. — Moi non plus. — Moi aussi.

Que pensez-vous des deux-roues ? — Je suis pour. — Je suis contre. — C'est faux.

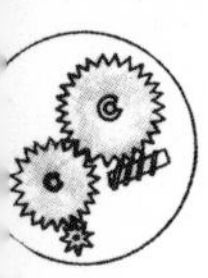

1 — Tu **es** libre aujourd'hui ?
— Non, mais je **serai** libre demain

2 Qu'est-ce que tu as fait **hier ?** — Hier, j'**ai travaillé.**
Et **aujourd'hui ?** — Aujourd'hui, je **travaille** encore.
Et **demain ?** — Demain, je ne **travaillerai** pas.

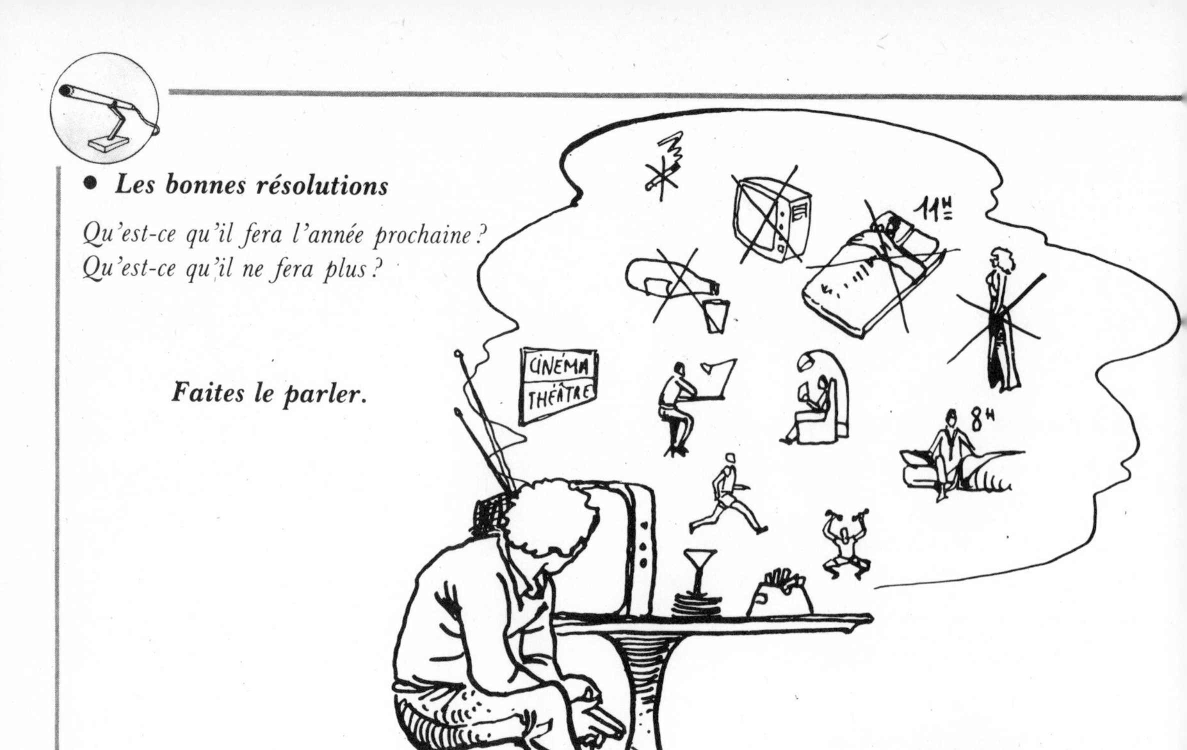

- ***Les bonnes résolutions***

Qu'est-ce qu'il fera l'année prochaine ?
Qu'est-ce qu'il ne fera plus ?

Faites le parler.

- ***Les projets de Virginie Pellicier***

Dans deux ans passer le bac — entrer à la fac de médecine — 1992 être médecin — 1993 aller travailler à l'étranger — 2000 revenir en France, s'installer dans une petite ville.

- ***Parlez de ses projets*** *Dans deux ans Virginie Pellicier ......*

- ***Et vous, quels sont vos projets pour l'année prochaine ? pour l'an 2000 ? Que ferez-vous ?***
Qu'est-ce que vous ne ferez plus ? Que deviendrez-vous ?
Où irez-vous ?

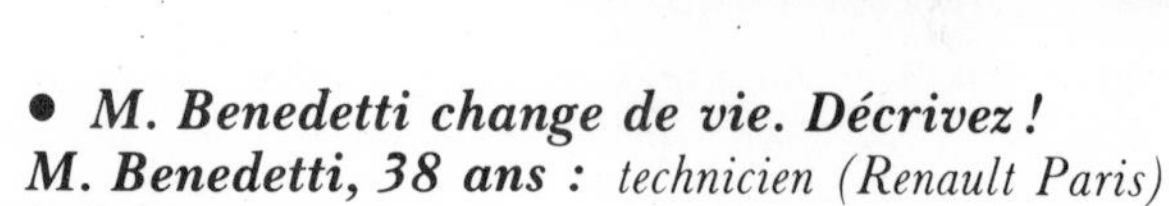

- ***M. Benedetti change de vie. Décrivez !***

M. Benedetti, 38 ans :	*technicien (Renault Paris)*
Salaire :	*10 000 F/mois*
Domicile :	*Évry ville nouvelle*
Travail :	*Paris*
Moyen de transport :	*RER (Réseau Express Régional)* *(domicile - lieu de travail)*
L'année prochaine :	*Cadre (Renault-Le Mans)*
Salaire :	*12 500 F/mois*
Domicile :	*20 km du Mans (à la campagne)*
Travail :	*Le Mans*
Moyen de transport :	*voiture* *(domicile - lieu de travail)*

• *« Iles de rêves »*
Avec une carte, cherchez et situez (par rapport aux continents, aux pays, et aux villes importantes) les îles :

Galapagos, Maldives,
Seychelles, Fidji, Shetland . . . . . .
C'est à . . . . . . km de . . . . . .
au nord/au sud de . . . . . .

• ***Où habites-tu ? Comment vas-tu à*** . . . . . .
Dialoguez avec votre voisin(e)

Vous *Où habites-tu ? (tu habites/vous habitez où ?)*
Lui/elle *A . . . . . . c'est au nord/au sud de . . . . . .*
près de . . . . . .
Vous *Tu habites en ville, à la campagne ? . . . . . .*
Lui/elle *En ville, près du centre, dans la banlieue . . .*

Vous *Tu vas à ton travail ? (à la fac)*
en bus, en voiture ? . . . . . .
Lui/elle *Oui, je . . . . . .*
Non, je prends le train, le car . . . . .

• ***Regardez une carte de France et situez les principales villes françaises.***

Exemple : *Strasbourg est à l'est de Paris, près de l'Allemagne, à . . . . . . km de . . .*

• ***Pour ou contre ?***

Ils ne sont pas d'accord
(pour déménager,
pour aller en vacances).
Faites-les parler.

• ***Vous avez envie d'aller au cinéma, de partir en vacances en Italie, d'apprendre le chinois...***
Votre voisin(e) n'est pas d'accord ! Elle/il préfère . . . . . .
Dialoguez !

4.2 Vivre à Montpellier

* *M. Pellicier :* — Il y a du courrier.

Mme Pellicier : — Oui, l'office de Tourisme de Montpellier nous a répondu. C'est dans la grosse enveloppe qui est sur la table.

M. Pellicier : — Tu as regardé ?

Mme Pellicier : — Oui.

M. Pellicier : — Alors, ça te plaît, Montpellier ?

Mme Pellicier : — Beaucoup. Tu verras les photos. C'est une belle ville !

* *M. Pellicier :* — Les enfants !

Virginie : — Qu'est-ce qu'il y a ?

M. Pellicier : — On vient de recevoir des prospectus sur Montpellier. Venez voir !

Gérard : — Ah oui ! Bonne idée !

* *M. Pellicier :* — Les « loisirs à Montpellier », ça intéresse quelqu'un ?

Virginie : — Oui, moi ! Merci.

* *M. Pellicier :* — Ah voilà quelque chose pc moi : « la route des vins ». Il n'y pas un guide de la région ?

Gérard : — Si, si, c'est moi qui l'ai. Écc tez : « Capitale du Languedc Rousillon située au milieu d'u région de vignobles. Montpel est une ville qui laisse à tous visiteurs un souvenir extraor naire. »

Gérard : — Il y a combien d'habitants Montpellier ?

Mme Pellicier : — 250 000.

Gérard : — Ah bon, c'est assez grand !

Virginie : — Et il fait beau ?

Gérard : — Oui, toute l'année. Écoute ça : « Montpellier a un climat très agréable. L'hiver est doux, l'été est chaud, il pleut un peu au printemps et en automne, mais le ciel est bleu 280 jours par an. »

Virginie : — C'est formidable ! On ira à la plage tout le temps. On pourra bronzer et faire de la planche à voile. Elles sont loin les plages ?

* *M. Pellicier :* — Non ! Regarde la carte ! En haut, Montpellier, avec l'autoroute qui passe au sud de la ville. Et en bas, les plages : Palavas, Carnon, la Grande Motte.

Gérard : — Et Castelnau, où c'est ?

M. Pellicier : — Là. Sur la route qui va de Montpellier à Nîmes.

* *Virginie :* — Je ne vois pas la Camargue.

M. Pellicier : — C'est là, à droite !

Virginie : — C'est bien. On pourra faire du cheval !

Gérard : — Et les Pyrénées ?

M. Pellicier : — Tout en bas à gauche ! En dessous, c'est l'Espagne.

Gérard : — Ça, je sais ! Mais c'est à combien de kilomètres ?

M. Pellicier : — 90 ou 100.

Gérard : — Super ! On ira faire du ski le week-end.

* *Mme Pellicier :* — C'est ça ! Le ski, la plage, la planche à voile, le cheval. Et le lycée et la fac, vous y pensez ?

[s] [z]

C'est une ville très agréable.

Elle laisse aux visiteurs un souvenir extraordinaire

J'ai envie de skier et de bronzer

MONTPELLIER

Ville d'art et de science
250 000 habitants. Capitale du Languedoc.
Gare SNCF — Aéroport de Fréjorgues.
A 10 km de la mer.
Climat méditerranéen.

Ses monuments

- l'Arc de Triomphe
- les Arceaux
- la Cathédrale

Ses jardins

- le Peyrou
- le jardin des plantes

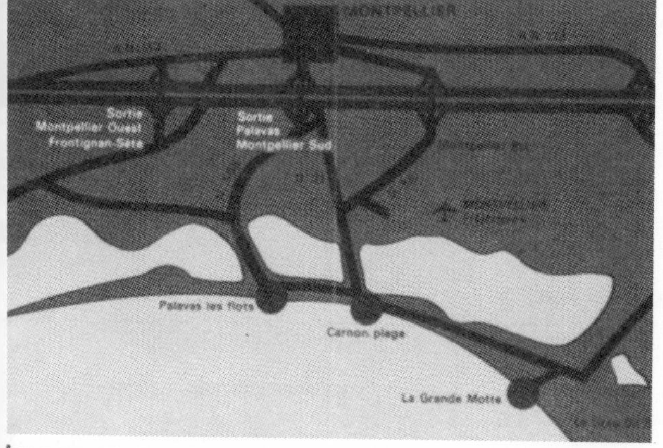

Ses maisons anciennes

(XVIIe et XVIIIe siècle)

Ses facultés

- médecine
- droit
- sciences
- lettres
- agronomie

Ses industries modernes

IBM

Ses plages

Des kilomètres de sable
fin sous un ciel bleu

VOCABULAIRE

- **le temps**

Le beau temps
Il fait beau, il fait chaud
Il y a du soleil
Le soleil brille
Le ciel est bleu
Le ciel est « dégagé » ......

Le mauvais temps
Il fait mauvais, il fait froid
Il y a du vent. Il fait du vent
Il pleut (pleuvoir)
Il neige (neiger)
Il y a un orage
Il y a du brouillard
Il y a des nuages, le ciel est gris ......

- **les saisons** Printemps - Été - Automne - Hiver
- **localisation** En haut, en bas, à gauche, à droite
au milieu (de ......) entre ......
en dessous (de), au-dessous (de) ......
sur la route de ...... dans la région de ......
- **donner son avis : « Ça te plaît ? »**

Oui, beaucoup ......
C'est bien
C'est extraordinaire, formidable
C'est agréable
C'est grand, beau
joli, amusant ......
(Chic ! Super ! Bonne idée !)

Non, pas du tout ......
Ce n'est pas bien
Ce n'est pas terrible
C'est désagréable
C'est petit, laid
ennuyeux ......
(Zut ! La barbe ! Ah non !)

GRAMMAIRE

1. qui — Pronom relatif sujet

— *Le pronom relatif relie deux phrases :*
Castelnau est sur la route **qui** va de Montpellier à Nîmes
phrase a) : Castelnau est sur une route
phrase b) : Cette route va de Montpellier à Nîmes

Les photos sont dans la grosse enveloppe **qui** est sur la table
phrase a) : Les photos sont dans une grosse enveloppe
phrase b) : Cette grosse enveloppe est sur la table

La subordonnée relative sert à préciser, à définir
Qui est Mme Richaud ? C'est la dame **qui** est près de la fenêtre.
Où est Castelnau ? C'est sur la route **qui** va de Montpellier à Nîmes.

Un cric, c'est **quelque chose qui** sert à soulever une voiture.
Un journaliste, c'est **quelqu'un qui** travaille dans un journal.

2. c'est... qui (pour insister)

Il n'y a pas un guide ? — Si, si, je l'ai pris
Si, si, **c'est** moi **qui** l'ai pris.

3. tout - toutes - tous - toutes (adjectifs indéfinis)

tout	(Un ......, le ......, ce ......, mon ......)	+ nom masculin singulier
toute	(Une ......, la ......, cette ......, ma...)	+ nom féminin singulier
tous	(Les ......, cès ......, mes ......)	+ nom masculin pluriel
toutes	(Les ......, ces ......, mes ......)	+ nom féminin pluriel

4. Conjugaison du futur (suite)

POUVOIR	VOIR
je pourrai	je verrai
tu pourras	tu verras
il/elle/on pourra	il/elle/on verra
nous pourrons	nous verrons
vous pourrez	vous verrez
ils/elles pourront	ils/elles verront

5. Quelqu'un - quelque chose (pronoms indéfinis)

Quelqu'un *(un homme, une femme)*
≠ personne
Quelque chose *(une chose)*
≠ rien

1. *Regardez les deux cartes météorologiques et faites un bulletin météo pour hier et demain.*

— *Le temps hier :*
dans l'ouest, il a plu ;
dans le sud-est ......

— *Le temps demain :* *il fera ......*

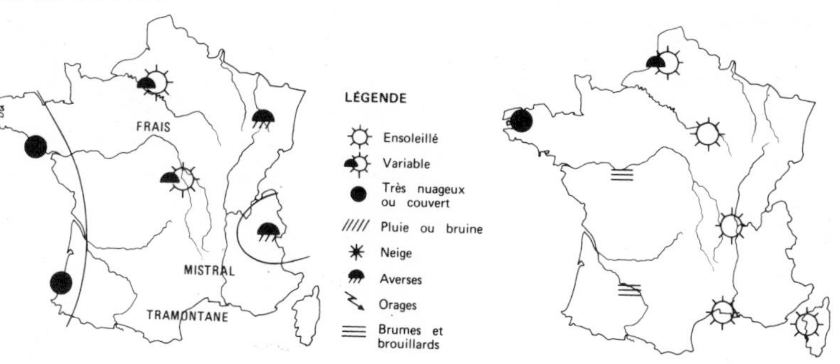

2. *Décrivez le climat de votre pays ou de votre région.*

3. *Définissez les mots suivants, comme dans l'exemple (employez le relatif « qui » et servez-vous d'un dictionnaire) :*

Un Office du Tourisme : c'est un bureau qui donne des renseignements aux touristes.
Un fonctionnaire : ...... Un deux-roues : ...... Une agence immobilière : ...... Un étudiant : ...... Un chômeur : ...... Un représentant : ......

4. *Trouvez les deux phrases qui donnent les phrases suivantes, comme dans l'exemple :*

J'ai un guide qui donne tous les renseignements.
a) J'ai un guide.
b) Ce guide donne tous les renseignements.
J'ai une voiture qui a quinze ans.
Il y a une autoroute qui va de Paris à Narbonne.
Je connais une dame qui travaille chez IBM.
Est-ce qu'il y a un train qui va à Castelnau ?
Nous avons des amis qui habitent à Nîmes.

5. *Réécrivez, comme dans l'exemple :*

Tu as le guide de Montpellier ?
C'est toi qui a le guide de Montpellier ?
J'ai cassé un verre.
L'Office du Tourisme nous a écrit.
Elle va conduire.
Ils nous ont téléphoné hier soir.
Sa mère lui a payé une moto.

6. *Complétez avec tout (le), toute (la), tous (les), toutes (les)...*

Ils connaissent ...... Bretagne
Tu veux ...... café ?
Elle va taper ...... lettres
J'ai fait ...... mon travail
Je ne connais pas ...... plages
J'ai vu ...... votre famille

7. *Sur le modèle de la présentation de Montpellier*

« Capitale du Languedoc-Roussillon,
Montpellier est une ville qui ..... souvenir extraordinaire.

Présentez Paris, la capitale de votre pays, une ville célèbre.

8. *Situez sur cette carte les villes ou les monuments suivants en utilisant : nord, sud ...... en haut, en bas, à gauche ...... de la carte, entre ...... au milieu ...... sur la route qui va de ...... à ....*

Sommières - Aigues-Mortes -
Le pont du Gard -
le château de Villevieille

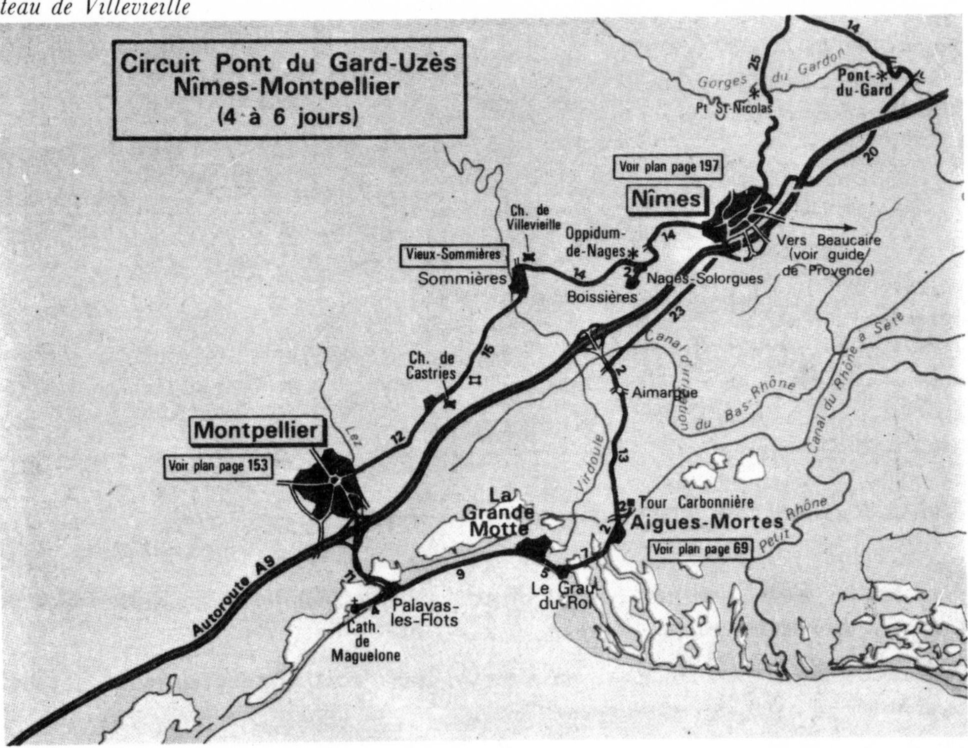

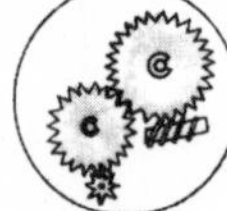

1. Il y a une enveloppe sur la table. Prends-la.
Prends l'enveloppe **qui** est sur la table.

2. Un buraliste vend des articles pour fumeurs.
Un buraliste, c'est **quelqu'un qui** vend des articles pour fumeurs.

(Avec *c'est quelqu'un qui* / et *c'est quelque chose qui*)

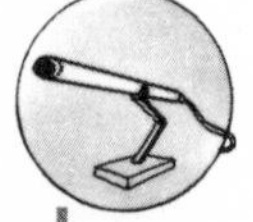

• ***Décrivez ce « collage » en employant :***

à gauche, à droite
en haut, en bas, au-dessus, en dessous
entre, au milieu de ......

• « *L'hiver à Venise* »

Vous parlez d'une belle ville que vous connaissez et vous conseillez à votre voisin(e) une saison pour la visiter.

Vous : *Vous connaissez Venise (Bagdad, Zanzibar, Tananarive...) ?*
Lui/elle : *Oui, j'y suis allé en été (en automne...)*
ou : *Non, où est-ce ?*
Vous : *Ça vous a plu ?*
ou : *C'est près de ......*
Sur la route de ......
Regarde la carte ......
Lui/elle : *C'est beau, c'est grand ......*
Il y a combien d'habitants ?
Il y fait beau ?
Vous : *Il faut y aller en hiver*
(au printemps ......)
Il fait ......

• ***Où est-ce ? Est-ce que c'est grand ? Est-ce que c'est joli, beau ? Quel temps y fait-il ?***

Moscou en hiver

Paris au printemps

Saint-Tropez en été

• SUR LA CARTE ! ***Prenez une carte. Vous choisissez une ville et votre voisin(e) doit deviner. Vous répondez par oui ou par non.***

C'est dans le sud ? le nord ?
C'est en haut, en bas, à gauche, à droite de la carte.
C'est sur la route de, entre, près de ...... Alors c'est ......

• ***Jamais d'accord ! Vous donnez votre avis sur quelque chose. Votre voisin(e) dit le contraire.***

Vous : *C'est extraordinaire ! Il te plaît, ce tableau ?*
Elle/lui : *Non, ça ne me plaît pas du tout. C'est laid.*
Vous : *La marche à pied, le vélo, c'est super !*
Elle/lui : *Ah non ! C'est ennuyeux !*

4.3 A la recherche d'une villa

Monsieur et madame Pellicier sont venus à Montpellier pour chercher un logement. Ils veulent une villa assez grande (il leur faut trois chambres) et pas trop chère. Ils sont en ce moment avec Mme Talbot qui dirige l'agence Immo-34.

* *Mme Talbot* — Je vais vous montrer une villa qui vous plaira. C'est une maison moderne que je trouve très bien. Au rez-de-chaussée, il y a un grand séjour, une cuisine et une chambre, et au premier étage deux chambres et une belle salle de bains.

M. Pellicier : — Elle fait quelle surface ?

Mme Talbot : — 150 m² et il y a un très joli jardin avec des arbres.

M. Pellicier : — Ça c'est agréable !

Mme Talbot : — Vous verrez, c'est tout près d'un centre commercial.

Mme Pellicier : — C'est pratique. Et la villa est libre immédiatement ?

Mme Talbot : — Il y a des locataires qui partent le 1er août. On arrive...

* *M. Pellicier :* — C'est tout droit ?

Mme Talbot : — Non, vous prenez la première à gauche, c'est un peu plus loin sur la droite. Voilà, nous y sommes !

* *Mme Talbot :* — Alors, qu'est-ce que vous en pensez ?

Mme Pellicier : — Moi, je la trouve très bien. Pas toi ?

M. Pellicier : — Si, elle me plaît, mais... c'est ennuyeux, il n'y a pas de garage !

Mme Pellicier : — On peut facilement garer la voiture dans le jardin.

M. Pellicier : — Oui, c'est vrai, tu as raison, mais le jardin est petit !

Mme Talbot : — Ah non, il est assez grand : il fait 200 m^2 exactement.

* *Mme Pellicier :* — Et le centre commercial est où ?

Mme Talbot : — C'est à 500 mètres. Vous descendez à gauche, vous allez jusqu'aux feux que vous voyez là-bas. Vous tournez à droite au rond-point, et c'est en face.

* *M. Pellicier :* — Le loyer est de combien ?

Mme Talbot : — 3 500 F par mois. C'est raisonnable !

M. Pellicier : — Oui, ce n'est pas trop cher ! Bon, eh bien, allons la visiter.

Mme Talbot : — Je regrette, M. Pellicier, les locataires ne sont pas là, et je n'ai pas les clés !

M. Pellicier : — On ne peut pas la visiter ?

Mme Talbot : — Si, vous pourrez la visiter demain. Les locataires seront là !

Mme Pellicier : — Mais nous devons repartir demain !

Mme Talbot : — Je suis désolée.

* *Mme Talbot :* — Attendez, voilà les locataires ! Nous avons de la chance !

Ils veulent une villa — il leur faut trois chambres

[v]

Cette villa fait 120 m^2

Vous voyez les feux ?

[f]

En face vous garez facilement votre voiture.

C'est vous qui choisissez ! Alors choisissez

Une entreprise qui connaît vos problèmes
Une entreprise que 10 000 familles ont choisie
Une entreprise que vous conseillez à vos amis
Choisissez Bâti Sud.

IMMO-34
Vente - Achat
Location
8, rue de l'Église
34000 MONTPELLIER
Tél. : (67) 74-40-11

L'AFFAIRE DE LA SEMAINE

Villa à louer
150 m^2 - 5 pièces + 2 sdb
garage + jardin
proche banlieue -
5 000 F/mois

Pour aller de la gare à l'agence Immo-34 : suivez l'avenue de la gare. Aux feux, tournez à droite, continuez tout droit, traversez la Place du Marché et prenez la première à droite. Au rond-point, vous tournez à gauche dans la rue de l'église.

VOCABULAIRE

- **le logement :** un appartement *(dans un immeuble)*, un studio, une maison, une villa
l'entrée, le couloir, la salle de séjour *(le séjour, le living = salon + salle à manger)*, les chambres, le balcon, la terrasse...
la cuisine, la salle de bains, les toilettes *(les w.-c.)*. Dans une salle de bains ; lavabo, baignoire, douche.

- **vendre, acheter, louer :**

une vente	un achat	une location
un vendeur	un acheteur	un locataire
le prix de vente	le prix d'achat	le loyer

- **dans l'ascenseur**

le premier étage, le deuxième, le troisième...,
le dernier, le rez-de-chaussée, le sous-sol
— Quel étage *(s'il vous plaît ?)*
— Le premier, s'il vous plaît.
— Moi, je vais au troisième.
— Et moi, au second.

- **pour donner son avis : Moi, ça me plaît ! Moi, ça ne me plaît pas !**

c'est grand, c'est petit, c'est cher, c'est trop cher, ce n'est pas trop cher, c'est bon marché,
c'est moderne, c'est vieux, c'est « ancien »...
c'est bien, c'est agréable, c'est pratique, c'est clair,
ce n'est pas bien, c'est sombre, ce n'est pas pratique...

- **pour demander son « chemin »**

La gare ......
L'hôtel Rex ...... } s'il vous plaît ?
La rue de Paris ......
Pardon ...... Où est la gare *(la rue ......)* ?
Excusez-moi ...... vous connaissez ......
Pardon Monsieur (*Madame* ......) pour aller à la gare ?

- **pour indiquer un chemin (un itinéraire)**

c'est à gauche, à droite, tout droit
vous continuez jusqu'à ......
vous prenez la première (*la deuxième* ......) à gauche, à droite
vous tournez à gauche ...... après le/la ......
vous traversez la rue (*l'avenue, le boulevard, la place* ......)

1. Les pronoms relatifs (suite)

sujet : **QUI**	complément d'objet : **QUE**
Ils vont voir une villa. Cette villa leur plaira Ils vont voir une villa **qui** leur plaira	Je vais voir une entreprise. Mes amis m'ont conseillé cette entreprise Je vais voir une entreprise **que** mes amis m'ont conseillée.

2. C'est/qui, c'est/que

(pour insister sur un mot)

C'est Mme Talbot **qui** dirige l'agence
(= Mme Talbot dirige l'agence).

C'est moi **qui** paye
(= je paye)

C'est une villa **que** nous cherchons, pas un appartement !
(= nous cherchons une villa)

C'est lui **que** je veux voir, pas elle !
(= je veux le voir)

3. Les adverbes en «-ment »

formation = adjectif au féminin + ment

dangereuse ⟶ dangereusement
exacte ⟶ exactement
facile ⟶ facilement

difficilement, simplement, gratuitement, immédiatement...

Les adverbes accompagnent un verbe (ou un adjectif). Ils sont en général après le verbe.

1. *Reliez les deux phrases comme dans le modèle :*

Mme Talbot va leur montrer une villa. Elle la trouve très bien.
→ *Mme Talbot va leur montrer une villa qu'elle trouve très bien.*

Les Pellicier ont une fille. Vous la connaissez.
Montpellier est une belle ville. Les touristes l'aiment beaucoup.
M. Pellicier a une voiture. Il la garera dans le jardin.
Ils ont des amis étrangers. Je les trouve très sympathiques.
Elle a une voiture de sport. Elle la conduit très vite.

2. *Mettez QUI ou QUE :*

La rue Racine, c'est la rue ...... va de la gare à la Mairie. Dans cette rue, il y a une maison ...... je trouve très belle. — C'est la maison ...... a un jardin avec de grands arbres ? Je la connais. Des gens ...... je connais habitent à côté. Ce sont les Dunod. — Les Dunod ? Ces gens ...... viennent de Bordeaux ? Moi aussi je les connais. J'ai des amis ...... les trouvent sympathiques, mais moi je ne les aime pas beaucoup.

3. *Choisissez l'adverbe qui convient :* *immédiatement - facilement - exactement - gratuitement - difficilement - dangereusement*

N'attendez pas ! Partez ......
Le dimanche, on visite le Louvre ......
Il va trop vite. Il conduit ......
Dans 2 minutes, il sera ...... midi.
Il s'est cassé la jambe et il marche ......
Avec le plan on trouve ...... l'agence.

4. *Sur le modèle suivant, faites deux phrases avec QUI et QUE :*

Mme Talbot connaît son métier. Elle dirige l'agence. Vous la verrez demain.

a) Mme Talbot, qui dirige l'agence, connaît son métier.

b) Mme Talbot, que vous verrez demain, dirige l'agence.

Les Pellicier vont s'installer à Montpellier. Ils viennent de Paris.
Vous les connaissez bien.
Leur fils va faire des études de médecine. Vous ne le connaissez pas.
Il passe son bac cette année.
Cette villa ne vous plaira pas. Je la trouve trop petite. Elle fait 100 m^2.
M. Pellicier vient d'avoir une promotion. Il sera ingénieur en chef en septembre.
La direction d'IBM l'envoie à Montpellier.

5. *Un de vos amis cherche un logement. Vous avez vu deux annonces, vous écrivez à cet ami.*

A LOUER ***Villa, 130 m^2, 3 chambres, 2 s-d-b, gd séjour, garage, jardin 800 m^2, 8 km centre ville. 3 500 F.***

A LOUER ***apt. F 4, tél., parking privé, 5e étage, asc., quartier calme, 2 350 F.***

Cher ......
J'ai trouvé deux annonces pour toi. La première, c'est une villa qui ......

6. *Vous écrivez à un ami. Vous lui expliquez comment aller de la gare à votre lycée, votre université, votre centre d'enseignement...*

7. *Sur le modèle du début du texte, faites un résumé pour les leçons 1 et 2.*

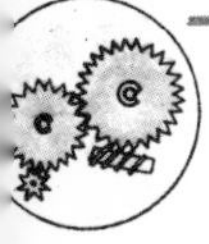

1. Je vais vous montrer une villa. Elle vous plaira.
   Je vais vous montrer une villa **qui** vous plaira.
   Je connais une petite maison. Je la trouve très bien.
   Je connais une petite maison **que** je trouve très bien.

2. Monsieur Talbot dirige l'agence ? *(Madame Talbot)*
   — Non, **c'est** madame Talbot **qui** dirige l'agence.
   Vous cherchez un appartement ? *(une villa)*
   — Non, c'**est** une villa **que** je cherche.

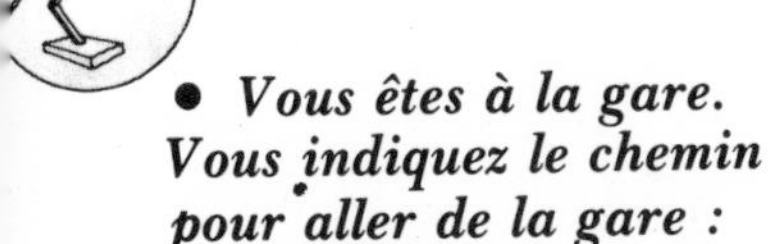

• *Vous êtes à la gare. Vous indiquez le chemin pour aller de la gare :*
— au théâtre
— à l'agence des Étuves
— au centre commercial le Polygone
— à l'hôtel Métropole

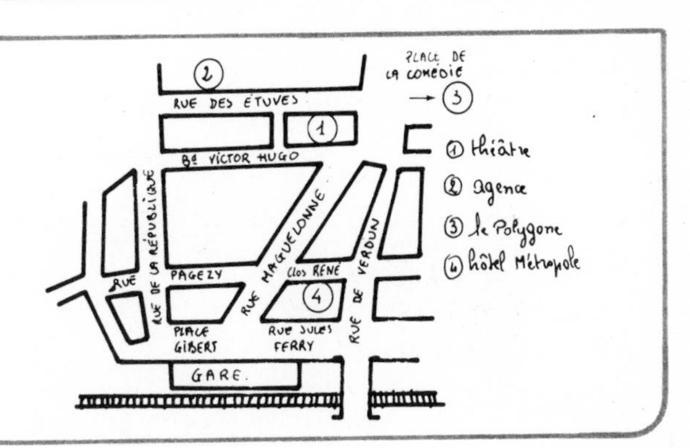

• ***Vous cherchez la gare, la poste, le centre culturel, une banque, une boulangerie,… votre voisin(e) vous indique l'itinéraire.***

• ***Roméo veut rejoindre Juliette. Quel itinéraire lui conseillez-vous ?***

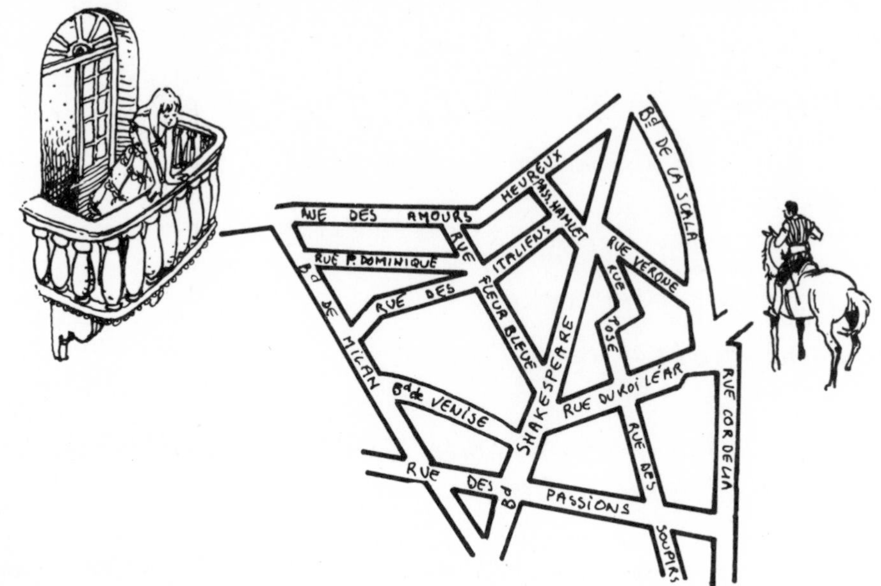

• ***Vous décrivez cette villa à votre voisin(e). Il/Elle vous pose des questions.***

Vous : *Au rez-de-chaussée, il y a ......*
Au premier ......
Elle/lui : *La cuisine (le séjour, ...) est grande ?*
Vous : *Oui/Non ......*
Elle/lui : *C'est moderne, c'est cher ...... ?*
C'est pratique ...... ?
On peut la visiter quand ? ......

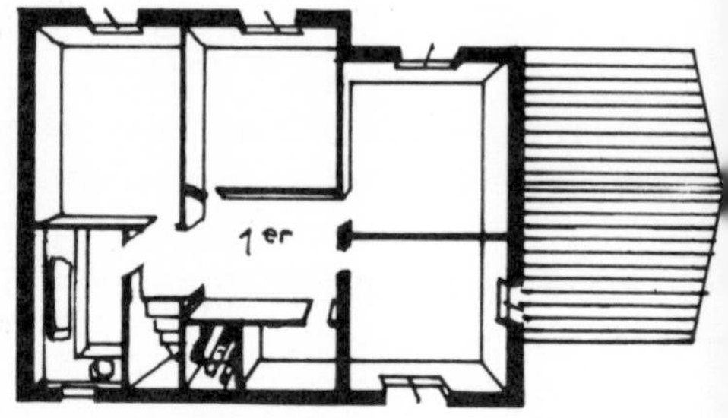

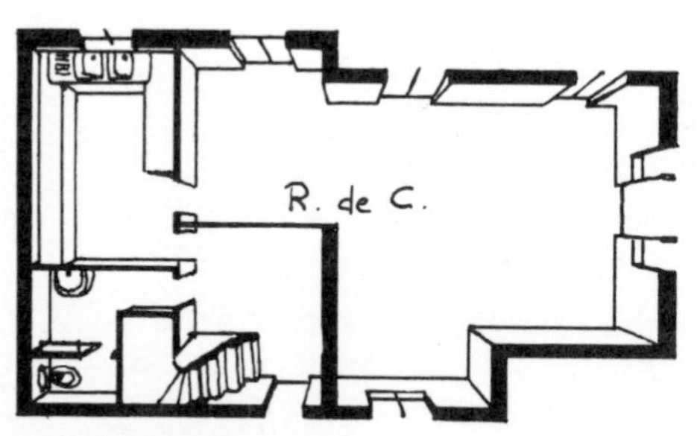

A vendre Villa
180 m² habitables
R. de Ch.: Séjour, Cuis., W.C.,
1er ét.: 3 Ch., S. de B.
630 000 F
Sur place
Sam., Dim.,de 10 h à 19 h

• Où habites-tu ? Où habitez-vous ? Vous parlez avec votre voisin(e) de votre logement (ou de son logement).

— C'est un appartement, une chambre, une maison que tu habites ?
— Oui/non/c'est à quel étage
— C'est grand, c'est cher... ? Oui/non ......
(nombre de pièces, locataire ou propriétaire, situation des commerces)
— Ah, ça, c'est pratique, ce n'est pas pratique, c'est agréable, c'est ennuyeux ......
Tu as (vous avez) de la chance ! Tu n'as pas de chance.

4.4 L'installation

Le camion des déménageurs est vide. Le jardin est plein de caisses et de cartons. A l'intérieur, les déménageurs installent les meubles. Les parents commencent à ranger. Les enfants sont en train de se disputer.

***** *Virginie :* — Moi, je veux la chambre blanche. Mon placard est trop petit.

Gérard : — Ah non, je ne suis pas d'accord. Tu gardes la tienne, je garde la mienne. Elle est très bien, la chambre bleue. Elle est plus grande que la blanche. Et les placards sont pareils.

***** *Virginie :* — Ce n'est pas vrai ! Regarde, le tien fait un mètre de plus. Moi, j'ai beaucoup de vêtements.

Gérard : — J'en ai autant que toi.

Virginie : — C'est faux, j'en ai bien plu que toi. J'ai besoin d'un granc placard. Tu vois, de ce côté j peux mettre mes jupes, mes ro bes et mes pantalons. Et de l'au tre côté... Ah, je comprends. Il a un lavabo dans le placard !

***** *Virginie :* — Maman, je veux la chambr qui a un lavabo.

Gérard : — Ah non, ma vieille ! C'est m chambre, je la garde.

Mme Pellicier : — Les enfants, arrêtez de vous disputer et venez nous aider. Il faut rentrer les cartons et les caisses.

Virginie : — Bon. Moi je suis une femme, je suis moins forte que toi. Les caisses sont beaucoup trop lourdes, je vais porter les cartons.

Gérard : — Bien sûr, et c'est moi qui porterai les caisses !

Un déménageur : — Dites Monsieur, l'armoire ne passe pas. Le couloir est trop étroit.

M. Pellicier : — Passez par l'extérieur : la fenêtre de la chambre est assez large.

L'autre : — Bon ! Allez, Maurice, on y va...

* Mme Pellicier : — Virginie, fais attention : il y a des verres dans le carton que tu portes.

Virginie : — Je sais maman, ne t'inquiète pas. Oh, zut !

[p]

[b]

Les Pellicier ont beaucoup de meubles

La chambre blanche est plus petite que la bleue

Le placard de la chambre bleue est plus grand

Il y a un lavabo dans le placard

Des meubles solides et bon marché :

LES VÔTRES

Une adresse utile ;

LA NÔTRE

MEUBLETOUT

140 avenue Napoléon - Nîmes.

DEMENAGEMENTS

O.D.T.

TOUTE LA FRANCE PAR LA ROUTE

Service régulier :

MARSEILLE - PARIS - MARSEILLE

VOCABULAIRE

- **le déménagement**

verbes	→ **noms** *(l'action de)*		
déménager	→ le déménagement	charger	→ le chargement
emménager	→ l'emménagement	décharger	→ le déchargement
		ranger	→ le rangement

- **le mobilier de la chambre :** une table, une chaise, un fauteuil, un lit, une table de nuit, une armoire, un bureau, une étagère ......

- **les contraires :** large/étroit, petit/grand, long/court, lourd/léger, haut/bas, plein/vide, pareil/différent ......

- **le degré, la quantité :** c'est assez lourd (*grand, plein* ......) trop, beaucoup trop, bien trop,... plus, beaucoup plus, un peu plus, moins, beaucoup moins, un peu moins, aussi

- **commencer, finir...**

commencer à ...... (*se mettre à* ......)
être en train de ......
continuer à ......
arrêter de ...... finir de ......

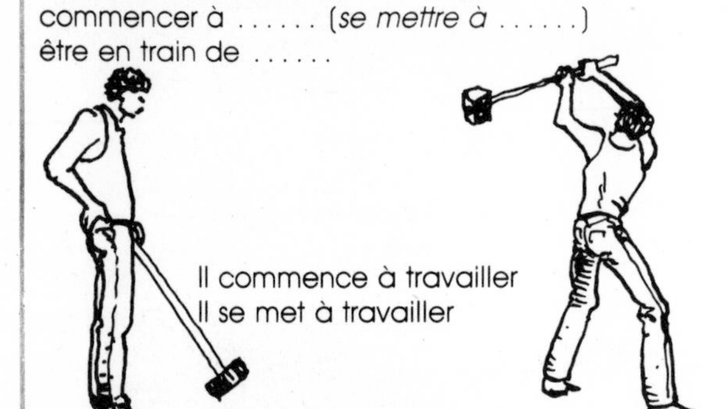

Il commence à travailler
Il se met à travailler

Il est en train de travailler
Il continue à travailler

Il arrête de travaill
Il a fini de travaille

GRAMMAIRE

1. Le comparatif

	Adjectif	Nom
Supériorité +	Gérard est plus fort que Virginie.	Virginie a plus de vêtements que Gérard.
Infériorité –	Virginie est moins forte que Gérard.	Gérard a moins de vêtements que Virginie.
Égalité =	Ma sœur est aussi grande que moi.	J'ai autant de livres que vous.

ATTENTION !

Le comparatif est souvent incomplet : Il est plus fort. Elle est moins grande. Elle a plus de vêtements. J'ai moins de travail. Ça fait un mètre de plus - Ça coûte 3 francs de moins.

2. Les pronoms possessifs :

A qui	est	ce ...... ? cet ...... ? cette ...... ?	A moi	C'est le mien/la mienne
			A toi	C'est le tien/la tienne
			A lui/elle	C'est le sien/la sienne
			A nous	C'est le nôtre/la nôtre
			A vous	C'est le vôtre/la vôtre
			A eux/elles	C'est le leur/la leur
	sont	ces ...... ?	A moi	Ce sont les miens/les miennes
			A toi	Ce sont les tiens/les tiennes
			A lui/elle	Ce sont les siens/les siennes
			A nous	Ce sont les nôtres
			A vous	Ce sont les vôtres
			A eux/elles	Ce sont les leurs

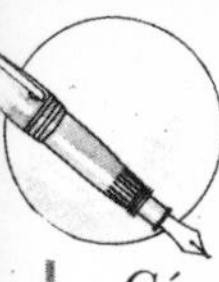

1. Complétez les phrases comme dans le modèle.

Gérard est aussi grand que Virginie.
L'armoire est ......
Gérard est ......
Virginie a ......
Virginie a ......
Le camion est ......
Le grand-père est ......
La fenêtre est ......
La jupe est ......
Les deux lessives coûtent ......
Les Dupont ont ......

2. Dites le contraire.

— *Cette étagère est trop basse.*
— *C'est un paquet très léger.*
— *Les deux voitures sont différentes.*
— *J'ai acheté une grande armoire.*
— *Cette caisse est pleine ?*

3. Complétez avec : commencer à, arrêter de, finir de, continuer à.

Le déjeuner est prêt : il faut ...... manger.
Les déménageurs ont ...... décharger à 8 h. Ils ont ...... travailler à midi.
J'ai trouvé un emploi : je ...... travailler lundi.
Les enfants, ... vous disputer !
Je connais presque tous les gens de l'immeuble. Je ...... m'habituer.
Il a ...... pleuvoir à midi. La pluie a ...... tomber toute la journée.
Quand va-t-il ...... pleuvoir ?

4. Transformez suivant le modèle :

A gauche, c'est ta chambre et à droite c'est ma chambre
→ *A gauche, c'est ta chambre et à droite c'est la mienne*

Nous avons des disques : j'ai mes disques, elle a ses disques.
Les habitants du Languedoc ont leurs plages. Les Bretons ont aussi leurs plages.
Moi, j'ai mes amis ; vous, vous avez vos amis.
Il y a trois chambres dans notre appartement. Dans leur appartement, il y en a quatre.
Tu as rangé ta chambre ? Moi, j'ai rangé ma chambre.
Il fait moins froid dans mon pays que dans ton pays.
Leurs enfants sont dans le jardin. Où sont nos enfants ?

5. Comparez les prix. Est-ce que c'est plus cher ou moins cher que dans votre pays ?

Prix moyens en France (en 1982) pour :
Un repas au restaurant : de 40 à 120 F.
Une nuit à l'hôtel : de 80 à 250 F.
Un petit déjeuner à l'hôtel : de 10 à 25 F.
Un café ou un thé : de 3 à 5 F.
Une bière : de 5 à 15 F.
Un paquet de cigarettes : de 3,50 F à 10 F.

6. Vérifiez ou corrigez les affirmations suivantes. Prenez un dictionnaire.

L'Espagne est plus grande que la France.
C'est faux. La France est plus grande. Elle a 36 000 km² de plus.

Employez : *plus grand/plus petit que/moins/plus haut que . . . plus d'habitants/moins d'habitants que . . .*
plus long/plus court que . . . . . . *X mètres, km de plus, de moins . . . . .*

— Tokyo a plus d'habitants que Paris / Le Kilimandjaro est moins haut que le Mont-Blanc / La Seine est plus longue que la Loire / La France a moins d'habitants que la République Fédérale Allemande / Le pôle Nord est plus froid que le pôle Sud / La tour Eiffel est plus haute que l'Empire State Building (à New York).

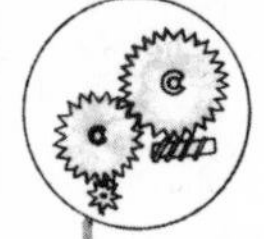

1. A qui est cette voiture ? A tes parents ? — Oui, oui, c'est **la leur.**
A qui sont ces cigarettes ? A toi ? — Oui, oui, ce sont **les miennes.**

2. Gérard a moins de livres que Virginie.
— C'est faux : il a **plus de** livres qu'elle.

Virginie a autant de vêtements que Gérard.
— C'est vrai : elle a **autant de** vêtements que lui.

	livres	vêtements	disques	amis	argent
Virginie	–	=	–	=	–
Gérard	+	=	+	=	+

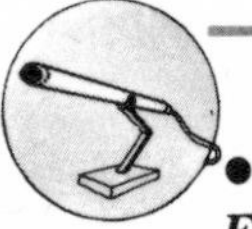

• **Un vendeur désagréable. Faites-les parler :**

— C'est trop court.
— Non, ce n'est pas vrai,
ce n'est pas trop court,
c'est vous qui êtes trop grand !

• **Ils se sont trompés ! Faites-les parler.**

— Eh, Monsieur ! Ce chapeau n'est pas à vous. C'est le mien.
— Ce n'est pas vrai ! C'est le mien.
— Mais non, regardez, voilà le vôtre,
il est beaucoup plus grand que le mien.
— Ah, c'est vrai. Excusez-moi !

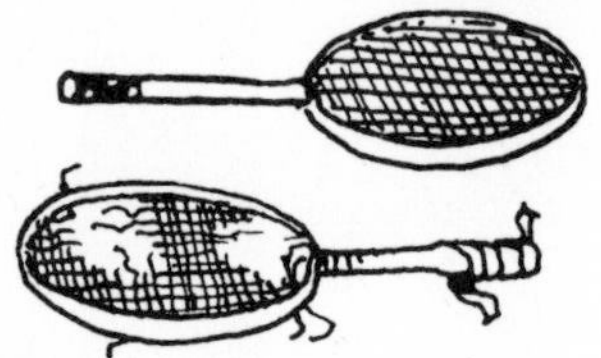

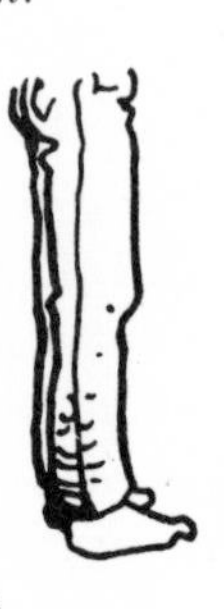

• *Comparez la première villa et la deuxième en utilisant PLUS ou MOINS.*

VILLAS A LOUER
Agence Immo-34
Tél. : 74-40-11
6 pièces, 150 m², 2 200 F.
8 km centre ville - terrain 600 m².
5 pièces, 120 m², 3 000 F.
2 km du centre - terrain 800 m²

la première villa a plus de pièces ......

• ***Avec les mêmes annonces, jouez la scène suivante : le mari et la femme ne sont pas d'accord. L'un veut la première villa, l'autre la deuxième.***

— *Je veux la villa de 6 pièces. Ma maison, ma chambre ...... est trop petite.*
— *Ah non, prenons la villa de 5 pièces. Elle est plus ...... moins ......, je pourrai mettre mes*
— *Ce n'est pas vrai ...... j'ai besoin de ......*

• ***M. Dupont et M. Duval***
Comparez-les. Comparez leur maison, leur voiture, leur chien...
Qui préférez-vous ?

Employez *M. Dupont est plus, moins, aussi ...... que M. Duval.*
M. Dupont a un chien, une voiture ...... plus, moins ...... que M. Duval.
Le sien,/la sienne est ......
M. Duval a plus de ...... moins de ......

• ***Avec votre voisin(e), vous décrivez et vous comparez des personnes, des animaux, des pays, des lieux, des objets... Vous dites vos préférences :***

— *Je préfère le ......, la ......*
— *Je ne suis pas d'accord ! Moi je préfère le ......, la .....*
— *Il/Elle est plus ...... moins ......*

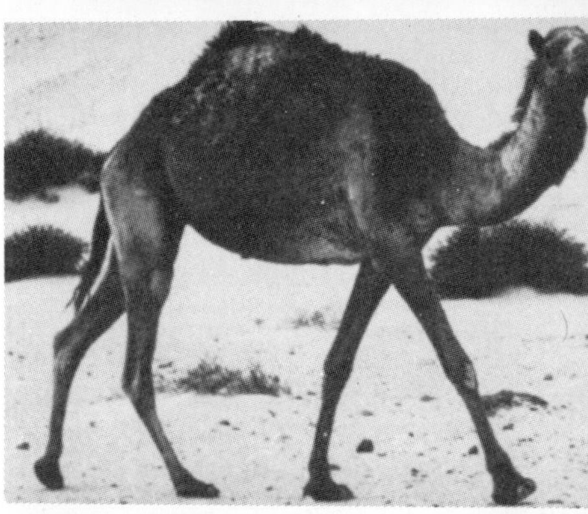

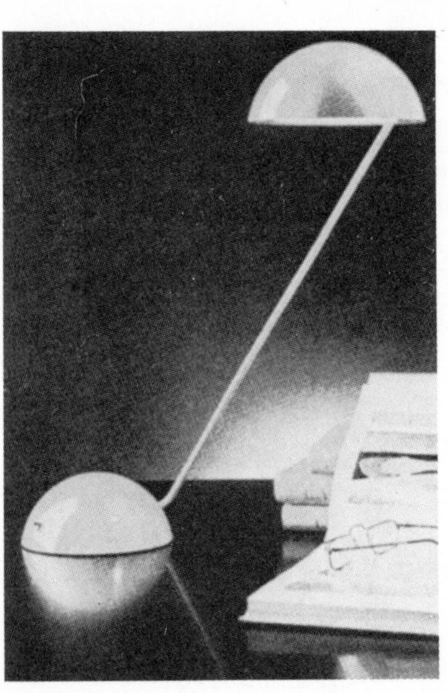

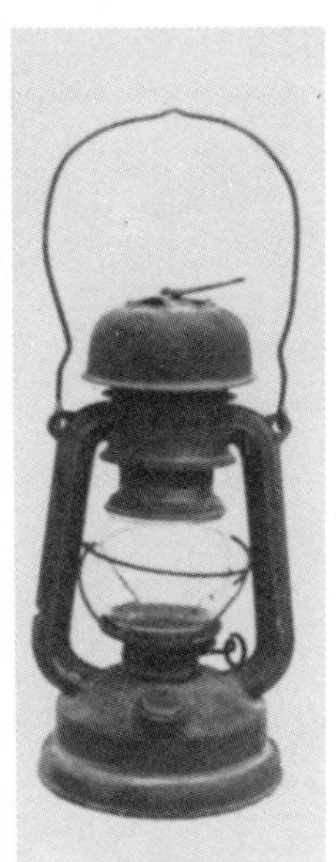

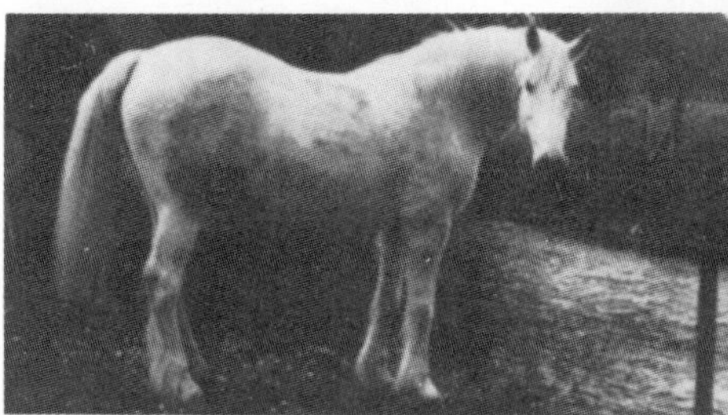

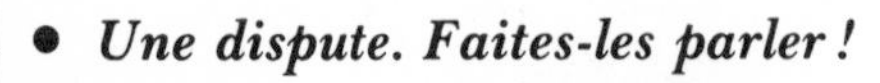

• ***Une dispute. Faites-les parler !***

Le premier — *Prends l'armoire ! Elle est trop lourde. Je suis plus ...... (fatigué, vieux...), moins ......*

Le deuxième — *Ah non. Je ne suis pas d'accord. Je vais ...... Et toi, tu vas ......*

Un autre — *Arrêtez de vous disputer ! Il faut aller ...... commencer à ...... continuer à ...*

4.5 Le méchoui

Les Pellicier viennent de s'installer à Montpellier.
Pour la première fois, ils reçoivent des voisins et des amis de M. Pellicier qui travaillent chez IBM. Ils ont fait un méchoui dans le jardin ; un mouton est en train de cuire au-dessus d'un feu de bois.

Mme Pellicier : — C'est bientôt prêt. Il y a des couverts sur la table. Servez-vous.
M. Pellicier : — Chérie, je te présente Jacques Morin. Il travaille au Service Développement.
Mme Pellicier : — Enchantée de faire votre connaissance, Monsieur Morin.
M. Morin : — Vous pouvez m'appeler Jacques.
Mme Pellicier : — Alors, appelez-moi Michèle.
M. Morin : — Alors, ça vous plaît le Midi ? Vous êtes bien ici !
Mme Pellicier : — Oui, on est très bien. On a eu de la chance de trouver cette villa !
M. Morin : — C'est vrai, elle est très agréable.
Mme Pellicier : — Et puis, heureusement, les voisins sont très sympathiques.
M. Morin : — Vous êtes mieux que dans la région parisienne.
Mme Pellicier : — Beaucoup mieux, c'est sûr !
∗ *M. Pellicier :* — Qu'est-ce que tu prends Jacques ? Un whisky, un porto ?

M. Morin : — Non je ne bois pas d'alcool. Je vais prendre un jus de fruit.

Gérard : — Papa, le mouton est presque cuit. Qu'est-ce que je fais ?

M. Pellicier : — Attends ! Je vais aller voir ! Va me chercher un couteau, s'il te plaît.

M. Morin : — C'est votre fils ?

Mme Pellicier : — Oui et ma fille est là-bas. Et vous, Jacques, vous avez des enfants ?

M. Morin : — Oui, j'en ai également deux, mais les miens sont beaucoup plus jeunes.

* **M. Pellicier :** — Tenez, je vous ai coupé du gigot ! Ça vous va ?

Mme Pellicier : — C'est parfait.

M. Morin : — Hm, c'est délicieux !

Mme Pellicier : — C'est bien meilleur qu'un gigot au four.

Un invité : — Oh oui, c'est excellent.

* **Une invitée :** — Vous avez déjà visité la région ?

Mme Pellicier : — Non, malheureusement, on n'a pas encore eu le temps.

L'invitée : — Il y a des promenades magnifiques. Le Parc National des Cévennes par exemple.

L'invité : — Ah oui, c'est un endroit où il faut absolument aller.

Mme Pellicier : — Où est-ce ?

L'invitée : — C'est à environ 100 km c Montpellier. C'est près de Florac

Mme Pellicier : — Par où on passe pour y aller

L'invité : — On va demander à Denis. est de Florac. Dis, Denis, par où faut passer pour aller au Parc d Cévennes ?

Denis : — Par Alès. C'est la route la pl rapide.

M. Morin : — Mais c'est la moins intére sante. Moi, je vous conseille c passer par Ganges et le Mo Aigoual.

L'invité : — Ah oui, bonne idée. Comm ça, ils pourront voir la Grot des Demoiselles. C'est un endro extraordinaire !

M. Morin : — Et puis, vous revenez par l Gorges du Tarn. C'est un peu lon mais la route est merveilleuse.

* **M. Pellicier :** — Et c'est une région où mange bien, non ?

L'invité : — Oui, il y a de bons petits re taurants. Je vous donnerai d adresses.

Mme Pellicier : — On y va le week-end p chain, chéri ?

M. Pellicier : — Pourquoi pas ?

Les touristes adorent la Grotte des Demoiselles.

C'est un endroit extraordinaire !

[t]

J'ai très envie d'y aller.

Bonne idée. Quelle route faut-il prendre ?

[d]

Attendez ! On va demander à Denis.

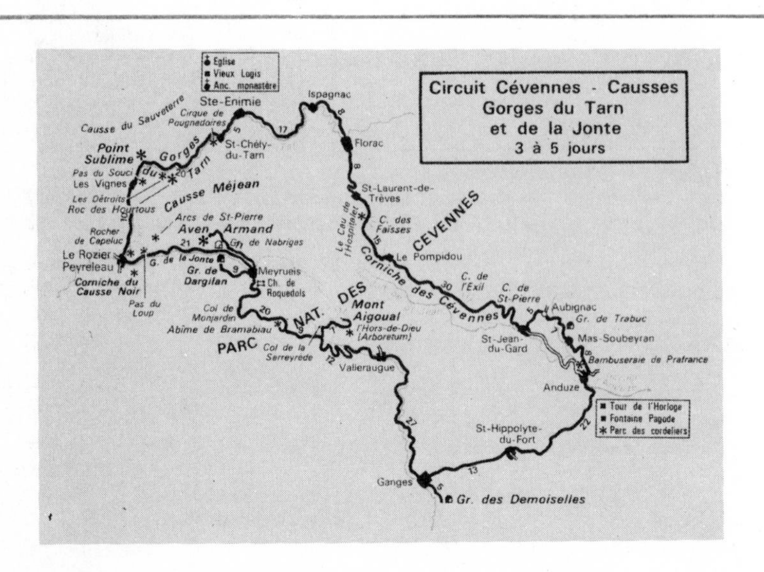

DEMOISELLES (Grotte des), à St-Bauzille-de-Putois (34).

Sur la N 986 (Montpellier à Ganges (40 km), à proximité des Plages et du Cirque de Navacelles). **Ouvert toute l'année :** du 1/10 au 31/03 de 9 h 30 à 17 h et du 1/04 au 30/09 de 8 h 30 à 19 h (arrêt pour déjeuner). En été, certains soirs : nocturne. Rens. : 3 rue Maguelonne 34000 Montpellier. Tél. : (67) 58-44-12. Carte Michelin n° 83 pli 6-7.

Cévennes-Gorges du Tarn

Entre Millau et Florac
une route splendide de 60 km qui passe par des sites magnifiques.
A **voir absolument.**

VOCABULAIRE

• expression du temps (adverbes)

Ce n'est pas encore prêt, c'est bientôt prêt, c'est presque prêt, ce sera prêt tout à l'heure, c'est prêt, c'est déjà prêt.

• expression de la qualité (adverbes en -ment)

heureuse → heureusement
malheureuse → malheureusement
merveilleuse → merveilleusement
parfaite → parfaitement
extraordinaire → extraordinairement
agréable → agréablement

• Une réception

verbes → **noms**
recevoir → une réception
inviter → une invitation
présenter → (faire) les présentations
discuter → une discussion

les gens sont agréables, sympathiques, intéressants...

le méchoui est délicieux, parfait, excellent...

- **En promenade : « une sortie »**

un parc national : *le parc national des Cévennes*
des gorges : *les gorges du Tarn*
une grotte : *la grotte des Demoiselles*
une forêt, une rivière, un lac...
c'est magnifique, splendide, extraordinaire, merveilleux, très beau, très joli, très intéressant.

GRAMMAIRE

1. Le superlatif

le *(la, les)* { **Plus** / **moins** } + adjectif / + nom + de

	(adjectif)	(nom)
supériorité	C'est la plus belle région *(de France).*	C'est Virginie qui a le plus de vêtements.
infériorité	C'est la route la moins rapide.	C'est Virginie qui a le moins de livres.

2. Bon, mauvais, bien, mal (comparatifs et superlatifs de supériorité)

	comparatif	superlatif
Bon	meilleur *(que...)*	le (la, les) meilleur(e)
Mauvais	plus mauvais *(que)*	le (la, les) plus mauvais(e)
	pire *(que)*	le (la, les) pire
Bien	mieux *(que)*	le mieux
Mal	plus mal *(que)*	le plus mal
	pire *(que)*	le pire

Attention ! moins bon *(mauvais, bien, mal)* que
le moins bon *(mauvais, bien, mal)*
aussi bon *(mauvais, bien, mal)* que

On dit : « bien mieux, beaucoup mieux, bien meilleur, bien pire »
mais pas : ~~beaucoup meilleur, beaucoup pire~~

3. Où, pronom relatif (remplace un nom de lieu)

— Vous connaissez cette région ? Nous allons en vacances dans cette région
→ Vous connaissez cette région **où** nous allons en vacances ?
— Montpellier est une ville intéressante ; il faut s'y arrêter
→ Montpellier est une ville intéressante **où** il faut s'arrêter.

Attention ! **Où** pronom relatif ≠ **Où ?** pronom interrogatif
Où habites-tu ? C'est la ville où j'habite.

---

1. *Complétez en mettant BIEN ou BON et en faisant l'accord :*

En France, on mange . . . . . . ; il y a de . . . . . . restaurants
Ce n'est pas un . . . . . . élève. Il ne travaille pas . . . . . .
J'ai vu un . . . . . . film hier soir. J'ai . . . . . . aimé l'histoire
Il a une . . . . . . situation. Il gagne . . . . . . sa vie
Vous aimez la Bretagne ? Ah oui, c'est . . . . . .
Vous aimez la choucroute ? Oh oui, c'est . . . . . .
Ne buvez pas ce vin ; il n'est pas . . . . . .
Tu conduis trop à gauche. Ce n'est pas . . . . . .

2. *Comparez leur âge, leur taille, leur poids.*

Paul	*23 ans*	*1,75 m*	*72 kg*
Valérie	*18 ans*	*1,63 m*	*49 kg*
Jean-Pierre	*22 ans*	*1,78 m*	*69 kg*

Paul est le plus vieux. Il n'est pas le plus grand.
Il pèse le plus lourd. Il est plus petit que Jean-Pierre.
Mais il est plus grand que Valérie.

3. Complétez selon le modèle.

Restaurant « Au bon coin », menu 35 F. Restaurant « Le petit Vatel », menu 31 F.
Le restaurant « Au bon coin » est bon marché. Le restaurant « Le Petit Vatel » est meilleur marché.

Pierre 13/20. Françoise 15/20 : Pierre travaille bien. Françoise ......
Le vin blanc, c'est bon. Le champagne ......
Pour voyager, le train c'est ...... L'avion ......
Fumer peu, c'est bien. S'arrêter de fumer ......
Le mouton au four, c'est bon. Le méchoui ......

4. Comparez-les. Comparez leurs résultats.

Saut en hauteur (femmes) : *concurrente n° 1 mesure 1,65 m, saute 1,78 m*
6 mesure 1,68 m, saute 1,75 m
3 mesure 1,72 m, saute 1,70 m

La concurrente 1 : c'est elle la moins grande, mais c'est elle qui saute le plus haut.
La concurrente 3 : c'est la plus grande, mais ......

100 mètres (femmes) *concurrente n° 7 15 ans, le 100 m en 14 secondes*
9 25 ans, le 100 m en 12.5 secondes
13 17 ans, le 100 m en 13 secondes

La concurrente 7 : c'est la plus jeune, mais ......
La concurrente 9 : c'est la moins jeune, mais ......

Haltérophilie (hommes) *concurrent n° 5 pèse 70 kg, soulève 90 kg*
8 pèse 75 kg, soulève 85 kg
15 pèse 82 kg, soulève 80 kg

Le concurrent 5 : c'est le moins lourd, mais ......
Le concurrent 15 : c'est le plus lourd, mais ......

5. Voici trois bulletins scolaires. Analysez-les.

Moyenne sur 20	*Marc Moreau*	*Michel Legrand*	*Anne-Marie Leclerc*
1er trimestre	*13*	*7*	*8*
2e trimestre	*10*	*6*	*8,5*
3e trimestre	*14*	*4*	*16*

Au 1er trimestre, Marc a bien travaillé. Au 2e trimestre, il a ...... Au 3e trimestre, ... C'est au 2e trimestre qu'il a le moins bien travaillé. C'est au 3e trimestre ...... Son 2e trimestre a été le plus mauvais. Son 3e trimestre a été ......

Au 1er trimestre, Michel a mal travaillé. Au 2e trimestre, ... Au 3e trimestre ...... C'est au 1er trimestre qu'il a le moins mal travaillé. C'est au 3e trimestre ...... Son 1er trimestre a été ......

Au 3e trimestre, Anne-Marie a beaucoup ...... qu'aux deux autres. Son 3e trimestre a été bien ...... que les deux autres.

6. *En vous inspirant des documents page 115, présentez : la région, la ville, la curiosité, le monument le plus extraordinaire de votre pays.*
Complétez cette présentation par une phrase.
Sur le modèle.

« C'est un endroit où il faut aller, qu'il faut absolument ......
C'est une région où il fait beau ...... où les gens sont sympathiques ...... où on mange bien. »

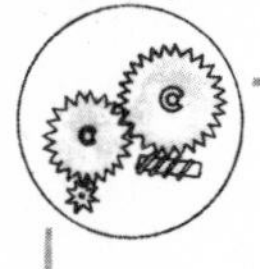

— C'est un beau pays !
On y mange bien ?
— Ah oui, c'est un pays **où** on mange bien.

C'est une belle région ?
Oui, c'est **la plus** belle.

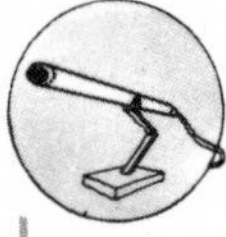

• ***La meilleure façon de voyager.***
Le train, l'avion, l'auto-stop, la voiture, le métro, le bus, le vélo, la marche à pied...

En utilisant les adjectifs : *bon, bien, rapide, lent, cher, pas cher (ou bon marché, ou économique, ou raisonnable), intéressant, dangereux, agréable, pratique,* ***dialoguez avec vos voisins(es).***

Vous : *Comment préférez-vous voyager ?*
Elle/lui : *Moi, je prends l'avion. C'est plus ......*
Un autre : *Moi non. Je préfère voyager en train. C'est moins ......*
Le mieux pour moi, c'est ......

• ***Regardez la carte des Cévennes (page 136). Choisissez deux villages au hasard. Cherchez ensuite avec votre voisin(e) le meilleur itinéraire, c'est-à-dire le plus rapide (environ 10 minutes pour 10 kilomètres).***

• Regardez le plan du métro et choisissez deux stations au hasard. Cherchez ensuite meilleur itinéraire, *(environ 1 mn 30 d'une station à l'autre).*

x. : Pour aller de Corvisart à Goncourt, le plus rapide c'est de passer par la place d'Italie. Là, ous prenez la direction Église de Pantin. Vous changez à République et vous prenez la direction Mairie des Lilas.

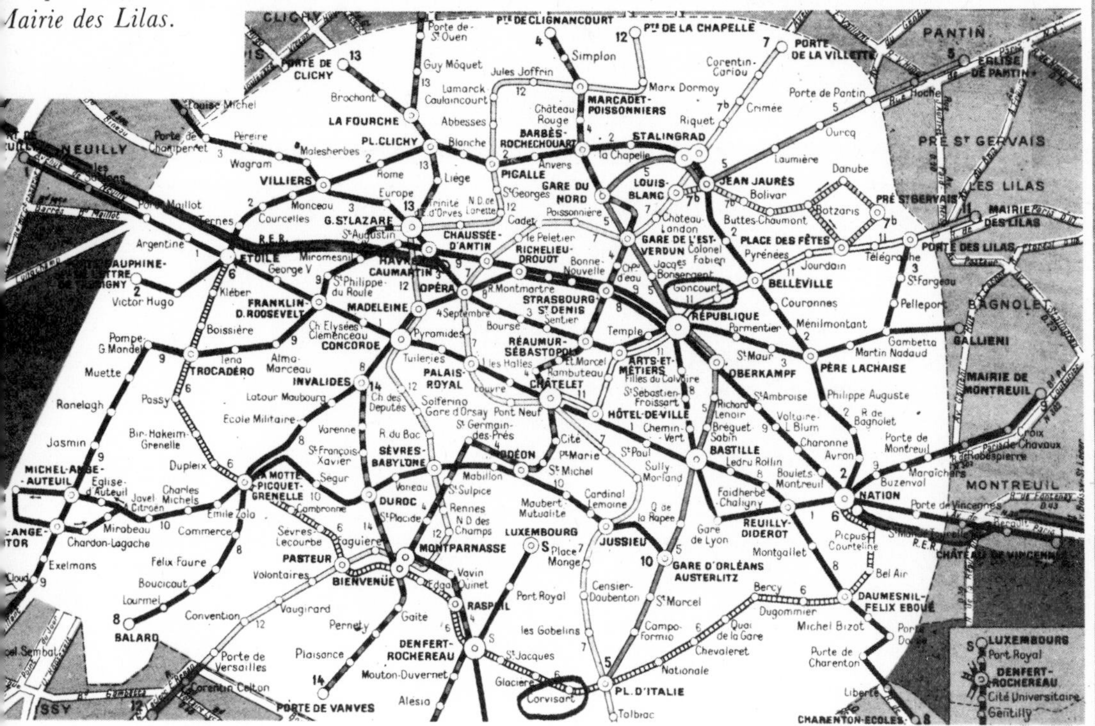

• Choisissez votre téléviseur couleur.
Commentez ce tableau, utilisez des comparatifs et des superlatifs.

Marques	*A B C*	*E I N*	*SONAKA*	*S P*	*LUX*
Fabrication	*française*	*allemande*	*japonaise*	*suisse*	*française*
Service après-vente	*bon*	*bon*	*insuffisant*	*satisfaisant*	*médiocre*
Qualité de l'image	*bonne*	*excellente*	*très bonne*	*moyenne*	*moyenne*
Qualité du son	*excellente*	*bonne*	*excellente*	*moyenne*	*mauvaise*
PRIX	*3 000 F*	*4 500 F*	*3 000 F*	*3 500 F*	*2 500 F*
Résultats	*15/20*	*18/20*	*15/20*	*12/20*	*9/20*
Appréciation	*C'est un bon poste et il y a un bon service après-vente.*	*C'est parfait mais c'est cher.*	*C'est bien, mais le service après-vente...*	*Ce n'est pas mal, mais l'image n'est pas belle.*	*Un poste bon marché, de mauvaise qualité.*

• Vous demandez à votre voisin(e) des renseignements sur son pays, sur la France.

Vous : *Quelle est la ville où il y a le plus ...... le moins ......*
Quelle est la région où il fait ...... où on trouve ......

Elle/lui : *La ville où ...... c'est ......*

Vous : *Ça vaut la peine d'y aller? C'est bien, cette ville?*

Elle/lui : *Ah oui. C'est un endroit où il faut absolument aller*
On y trouve ...... il y a ...... C'est magnifique, merveilleux ......

• C'est la fin de l'année. Vous organisez une réception pour vos amis (ies), vos voisins(es). Jouez la scène (*).

Vous présentez X à Y *Je te présente, je vous présente ......*
Vous présentez votre famille *Voilà ......, c'est ma fille, mon fils ......*
Vous servez un apéritif, un plat *Je t'ai apporté ...... ça te va ......*
Vous offrez un verre *Qu'est-ce que tu prends? ...... vous prenez?*
Vous prenez des nouvelles de vos amis *Alors, ça te plaît? tu es bien ici? ......*

Vous suggérez une promenade, une visite, une sortie, votre ami(e) est d'accord :
— Tu veux aller à ...... avec moi?
— Pourquoi pas? Très bonne idée. Où est-ce? ...... C'est à ......
— Tu verras, c'est bien. Il y a beaucoup de choses à voir ...... On ira en voiture ...... C'est extraordinaire ...... C'est une région où ......

Votre ami(e) n'est pas d'accord :
Ah non, j'y suis déjà allé. Ça ne m'a pas plu. J'ai une meilleure idée. Allons à ...... c'est mieux. C'est moins loin ...... Il y a beaucoup plus de choses à voir ......

Vous étudiez le meilleur itinéraire.
Il faut passer par ......
Je vous conseille de ......

Vous fixez la date.
On y va le ......?
On fait ça la semaine prochaine?

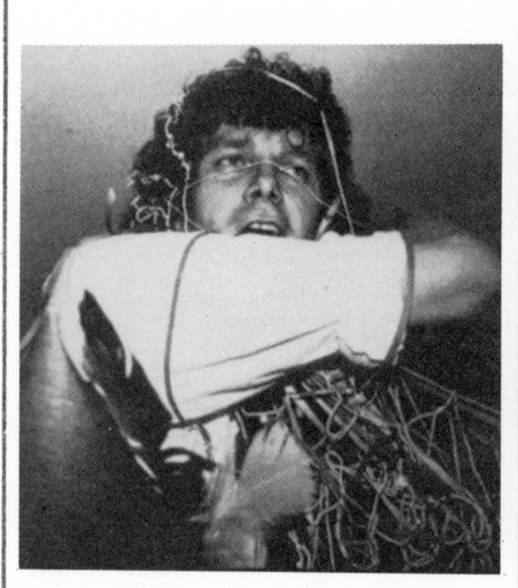

(*) Plutôt que de jouer la scène, nous vous conseillons vivement d'organiser une vraie réception !
Tenue « décontractée » et français obligatoire ! Bonne soirée !

BILAN

A. Tests

1. Mettez les verbes au futur

Chers amis,

Je descends à Montpellier pour mon travail et j'ai bien envie d'aller vous voir. Je *(prendre)* l'avion. J'*(arriver)* à l'aéroport de Fréjorgues vendredi soir à 17 h. Est-ce que vous *(pouvoir)* venir me chercher ? Le soir, nous *(aller)* au restaurant. C'est moi qui vous invite. Je *(passer)* le week-end avec vous. On *(avoir)* le temps de se promener. Malheureusement lundi, il *(falloir)* travailler ! Je *(repartir)* le soir par le train. J'*(aller)* à Marseille où je *(voir)* un client important.

A bientôt. Amitiés.

P.S. Est-ce que je *(pouvoir)* dormir chez vous ? Merci.

2. Complétez en employant : QUI, QUE, OÙ

1. Parlez-moi de la France. Vous connaissez le Midi ?
   — Ah oui. C'est une région ...... je connais bien.
2. Quelles sont les villes les plus chaudes ?
   — Les villes ...... il fait le plus chaud sont Perpignan et Nice.
3. Et quelle ville préférez-vous ?
   — La ville ...... je préfère ? C'est Nice.
4. Il fait beau dans le Midi, l'hiver ?
   — Oui, c'est une région ...... les hivers sont doux.
5. Et la Camargue, vous connaissez ?
   — Bien sûr. C'est un endroit ...... j'aime bien aller.
6. Vous pouvez m'indiquer un bon hôtel ?
   — L'hôtel ...... je vais s'appelle « Le Gardian ».
7. Qu'est-ce qu'on fait en Camargue ?
   — Les gens ...... y viennent font du cheval et vont à la plage.
8. Elles sont belles, les plages ?
   — Oh oui. Il y a des plages de sable fin ...... font des kilomètres.
9. Et vous, vous faites du cheval ?
   — Un peu. Mais le sport ...... je préfère c'est la planche à voile.
10. Et il n'y a pas trop de touristes ?
    — Ah si ! Mais sur la plage ...... je vais, il n'y a presque personne.

3. Transformez en employant C'EST... QUI..., C'EST... QUE..., comme dans le modèle

Il n'est pas technicien. Il est ingénieur. →
Ce n'est pas technicien qu'il est. C'est ingénieur.
Elle ne va pas à la fac. Son frère, y va. →
Ce n'est pas elle qui va à la fac. C'est son frère.

1. Il ne veut pas un vélomoteur. Il veut une moto.
2. Je ne fais pas la cuisine. Mon frère, la fait.
3. Ils ne vont pas à Nîmes. Ils vont à Montpellier.
4. Il n'a pas eu une promotion. Il a eu une augmentation.
5. Il ne travaille pas à l'agence. Sa femme y travaille.

4. Complétez en employant QUELQUE CHOSE, QUELQU'UN, RIEN, PERSONNE

1. Il y a du courrier ? Il n'y a ...... pour moi ?
2. Je suis allé ouvrir la porte. Je n'ai vu ......
3. Tu veux encore un fruit ou un gâteau ?
   — Non, je ne veux plus ......
4. Est-ce que .... a téléphoné pour moi ? — Non, ...
5. J'ai parlé avec ...... qui te connaît.
6. Le frigo est vide. Il ne reste plus ......
7. Je peux vous demander ...... ?
8. Désolé, Monsieur. Il ne reste plus ...... à louer.
9. Nous allons dîner chez eux. Il faut leur apporter ...

5. Choisissez la bonne réponse

1. **Tu peux porter cette caisse ?**

Elle est assez lourde / Elle est trop lourde / Elle n'est pas trop lourde.

2. **Ne prenez pas cette route !**
Elle est trop dangereuse / Elle n'est pas assez dangereuse / Elle n'est pas trop dangereuse.

3. **Je préfère travailler dans cette pièce.**
Elle n'est pas trop froide / Elle n'est pas assez froide / Elle est trop froide.

4. **Je suis très fatigué.**
J'ai assez de travail / Je n'ai pas assez de travail / J'ai trop de travail.

5. **Vous n'arrivez pas à faire cet exercice ?**
Alors il n'est pas facile / Alors il est trop facile / Alors il est assez facile.

6. Complétez en employant : TOUTES LES, TOUS LES, TOUTE LA, TOUT LE,

Dans l'entreprise où je travaille, ... les cadres sont des hommes et ...... secrétaires sont des femmes. ...... la journée, je tape à la machine. Le soir, je rentre à la maison et j'ai ...... vaisselle à faire. En ce moment, je suis très fatiguée : je vais dormir ...... week-end.

7. Posez la question qui porte sur les mots soulignés :

1. Paris est à 800 km de Montpellier.
2. Nous nous installons à Montpellier.
3. Nous passerons par Lyon.
4. Nous descendrons en voiture.
5. Nous déménageons le 31 juillet.

8. Voici des informations sur la famille Gautier et la famille Carnot.

	Gautier	Carnot
1.	**M. Gautier** 39 ans	**M. Carnot** 41 ans
2.	**Mme Gautier** 36 ans	**Mme Carnot** 33 ans
3.	3 **enfants**	2 **enfants**
4.	**Salaire de M. Gautier** 8 500 F	**Salaire de M. Carnot** 12 000 F
5.	**Salaire de Mme Gautier** 6 000 F	**Salaire de Mme Carnot** 6 000 F
6.	**Appartement des Gautier** 90 m^2	**Appartement des Carnot** 110 m^2
7.	**Loyer des Gautier** 1 800 F	**Loyer des Carnot** 2 200 F

Comparez les Carnot aux Gautier :

1. M. Carnot est plus vieux que M. Gautier. — Il a 2 ans de plus.
2. Mme Carnot .... Mme Gautier. — Elle a 3 ans de moins.
3. Les Carnot .... d'enfants .... — Ils ont ....
4. M. Carnot .... d'argent .... — .... 3 500 F ....
5. Mme Carnot .... que ....
6. L'appartement des Carnot .... que .... — Il fait ....
7. Le loyer des Carnot .... cher .... — Il fait ....

9. Complétez les phrases suivantes en employant BIEN ou BEAUCOUP avec le comparatif.

1. Les côtelettes c'est bon, mais le gigot c'est ......
2. Un vélomoteur c'est rapide, mais une moto c'est ......
3. Un appartement c'est bien, mais une villa c'est ......
4. C'est pratique une voiture, mais, en ville, un deux-roues c'est ......
5. Le vin c'est bon, mais le champagne c'est ......
6. Avoir une terrasse c'est agréable, mais avoir un jardin c'est ......
7. Un vélomoteur c'est bien, mais une moto c'est ......
8. Se casser un bras c'est ennuyeux, mais se casser une jambe c'est ......
9. C'est bien le train, mais l'avion c'est ......
10. Visiter seul un musée c'est intéressant, mais avec un guide c'est ......

10. Complétez les phrases suivantes en employant des superlatifs :

1. Ces deux tartes sont bonnes, mais c'est la tarte aux pommes qui est ......
2. Les chambres sont bien dans cet hôtel, mais c'est la vôtre qui est ......
3. Il y a des grottes intéressantes dans la région, mais c'est la Grotte des Demoiselles qui est ......
4. Les amies de ma fille sont très gentilles, mais c'est Catherine qui est ......
5. Toutes ces motos sont très bonnes, mais ce sont les japonaises qui sont ......
6. Les musiciens de l'orchestre sont bons, mais c'est la flûtiste qui est ......
7. Tous les hôtels sont bien ici, mais ce sont les hôtels du bord de la plage qui sont ......
8. Toutes les caisses du déménagement sont lourdes, mais ce sont les caisses de livres qui sont ......
9. Ces deux appartements sont bien, mais c'est l'appartement du dernier étage qui est ......
10. Dans cette pâtisserie les gâteaux sont très bons, mais c'est le gâteau au chocolat qui est ......

•. Texte complémentaire

ancine : — Tu as des vacances en février, toi ? J'ai envie de prendre une semaine pour aller faire du ski.

édéric : — Bonne idée. Moi aussi.

ancine : — Tu veux venir ?

édéric : — Pourquoi pas ? Où veux-tu aller ? Il y a une station que tu préfères ?

ancine : — Je veux un endroit où il y a de la bonne neige et beaucoup de soleil. J'ai vu des annonces dans le journal. Tiens, regarde : « Courchevel ». C'est bien Courchevel. « Studio à louer, 3/4 personnes. 2 000 F par semaine. » Ah non ! C'est trop cher. « Petit studio, 2 personnes, au centre de la station, 1 500 F la semaine. » Ça, c'est meilleur marché. Qu'est-ce que tu en penses ?

édéric : — Tu sais, louer un studio, ce n'est pas très pratique. Il faut faire les courses, faire la cuisine. Je n'aime pas beaucoup ça.

ancine : — Moi non plus. Mais il y a aussi les hôtels... « Méribel ». Où c'est Méribel ?

Frédéric : — En Haute-Savoie. Au sud d'Albertville.

Francine : — Alors « Méribel : Hôtel des Neiges. Février, 200 F par jour. Splendid-Hôtel, 150 F. » Ça, c'est plus raisonnable.

Frédéric : — Eh bien, moi, j'ai une meilleure idée. On va aller dans une station que je connais bien : Chamonix.

Francine : — Je veux bien, mais il va falloir trouver une location. On téléphone à l'Office du Tourisme ?

Frédéric : — Tu oublies quelque chose.

Francine : — Quoi ?

Frédéric : — je t'ai parlé de mon grand-père Félicien ?

Francine : — Ah oui, il a un hôtel à Chamonix. C'est ça ?

Frédéric : — Oh, ce n'est pas un hôtel extraordinaire. C'est petit, il y a neuf ou dix chambres, mais c'est très sympathique. Et c'est ma grand-mère qui fait la cuisine. Qu'est-ce que tu en penses ? On va chez eux ?

Francine : — Moi, je suis d'accord.

Frédéric : — Je lui téléphonerai tout à l'heure.

Francine : — C'est loin, Chamonix ?

Frédéric : — A environ 250 km d'ici.

Francine : — Et comment on y va ?

Frédéric : — C'est très simple : on prend l'autoroute jusqu'à Sallanches. L'autoroute passe par Genève.

Francine : — Et après Sallanches, il reste combien de kilomètres ?

Frédéric : — Pas beaucoup : 17 exactement.

Francine : — On ira en voiture ?

Frédéric : — Oui, c'est plus pratique que le train et là-bas on en aura besoin. On prendra la mienne. Je descendrai de Paris et je passerai te prendre chez toi. Mais, dis-moi, tu sais bien faire du ski ?

Francine : — Je suis canadienne, n'oublie pas ! Au Canada, la neige, on connaît. Mais je suis moins forte que ma sœur. Elle, elle fait beaucoup de ski. En février elle sera au Canada.

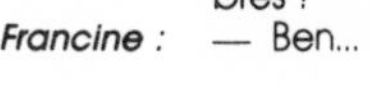

Frédéric : — Alors elle ne viendra pas avec nous ?

Francine : — Non. Elle reste là-bas tout le mois de février.

Frédéric : — Dommage. Bon. Je vais appeler mon grand-père. Heu... combien je demande de chambres ?

Francine : — Ben...

C. Images pour...

« Alors ça te plaît Montpellier ? »

Vous venez d'arriver à Montpellier. En une demie journée, vous visiterez facilement le centre historique de la ville entre la place de la Comédie et le Jardin du Peyrou. Mais il restera encore bien des choses à voir : le Musée Fabre, les « Arceaux », le Jardin des Plantes, les maisons et hôtels particuliers du XVIIe et du XVIIIe qui font le « charme » de Montpellier. Alors, pourquoi ne pas y rester quarante-huit heures et faire un séjour qui vous permettra de sentir l'atmosphère d'une ville où il fait bon vivre !

3. Les Arceaux et la Foire des « Ânes ».

1-2. La Place de la Comédie.

« Oui, c'est une belle ville. »

4. *L'Hôtel de Sarret, dit de la Coquille. (XVIIe et XVIIIe siècle).*

5. *Une vieille rue.*

6. *La Préfecture.*

La Place de la Comédie, l'« Œuf » pour les Montpelliérains, est la place principale et le centre d'animation du 'ieux Montpellier.

Le Peyrou, avec son château d'eau et la statue de Louis XIV, est un lieu de promenade dominant le sud ‹ l'ouest de la ville.

Le Jardin des Plantes qui occupe 6 ha près du Jardin du Peyrou.

Les Arceaux (XVII), un aqueduc de 236 arches (800 m de long) qui amène l'eau au château d'eau du Peyrou.

La Cathédrale Saint-Pierre : magnifique église du XIVe siècle qui a beaucoup souffert au cours des âges. La :çade, la tour et la nef sont un bel exemple d'architecture gothique méridionale.

L'Hôtel de Sarret, un des cent hôtels particuliers qui font la fierté de Montpellier.

Le Musée Fabre : œuvres italiennes, flamandes, hollandaises. Témoignages du Romantisme, du Réalisme et ı Naturalisme français.

D. Conjugaisons

***DEMANDER** (un renseignement)*			
1. Présent	***2. Futur***	***3. Passé composé***	***4. Impératif***
Je demand**e**	Je demander**ai**	j' **ai** demandé	
Tu demand**es**	Tu demander**as**	Tu **as** demandé	Demande
Il/Elle/On demand**e**	Il/Elle/On demander**a**	Il/Elle/On **a** demandé	
Nous demand**ons**	Nous demander**ons**	Nous **avons** demandé	Demandons
Vous demand**ez**	Vous demander**ez**	Vous **avez** demandé	Demandez
Ils/Elles demand**ent**	Ils/Elles demander**ont**	Ils/Elles **ont** demandé	

ARRIVER			
J' arriv**e**	J' arriver**ai**	Je **suis** arriv**é(e)**	
Tu arriv**es**	Tu arriver**as**	Tu **es** arriv**é(e)**	Arrive
Il/Elle/On arriv**e**	Il/Elle/On arriver**a**	Il/Elle/On **est** arriv**é(e)**	
Nous arriv**ons**	Nous arriver**ons**	Nous **sommes** arriv**és(ées)**	Arrivons
Vous arriv**ez**	Vous arriver**ez**	Vous **êtes** arriv**és(ées)**	Arrivez
Ils/Elles arriv**ent**	Ils/Elles/ arriver**ont**	Ils/Elles **sont** arriv**és(ées)**	
		Pierre et Françoise **sont** arriv**és**	

***SORTIR** (de la tente)*			
Je sor**s**	Je sortir**ai**	Je **suis** sorti**(e)**	
Tu sor**s**	Tu sortir**as**	Tu **es** sorti**(e)**	Sors
Il/Elle/On sor**t**	Il/Elle/On sortir**a**	Il/Elle/On **est** sorti**(e)**	
Nous sort**ons**	Nous sortir**ons**	Nous **sommes** sort**is(es)**	Sortons
Vous sort**ez**	Vous sortir**ez**	Vous **êtes** sort**is(es)**	Sortez
Ils/Elles sort**ent**	Ils/Elles sortir**ont**	Ils/Elles **sont** sort**is(es)**	

***AVOIR** (mal)*			
J' **ai** mal	J' aur**ai**	J' **ai** eu	
Tu **as** mal	Tu aur**as**	Tu **as** eu	Aie
Il/Elle/On **a** mal	Il/Elle/On aur**a**	Il/Elle/On **a** eu	
Nous **avons** mal	Nous aur**ons**	Nous **avons** eu	Ayons
Vous **avez** mal	Vous aur**ez**	Vous **avez** eu	Ayez
Ils/Elles **ont** mal	Ils/Elles aur**ont**	Ils/Elles **ont** eu	

***ÊTRE** (malade)*			
Je **suis** malade	JE ser**ai**	J' **ai** été	
Tu **es** malade	Tu ser**as**	Tu **as** été	Sois
Il/Elle/On **est** malade	Il/Elle/On ser**a**	Il/Elle/On **a** été	
Nous **sommes** malades	Nous ser**ons**	Nous **avons** été	Soyons
Vous **êtes** malades	Vous ser**ez**	Vous **avez** été	Soyez
Ils/Elles **sont** malades	Ils/Elles ser**ont**	Ils/Elles **ont** été	

SE LAVER

1. Présent	*2. Futur*	*3. Passé composé*	*4. Impératif*
Je me lav**e**	Je me laver**ai**	Je me **suis** lav**é(e)**	
Tu te lav**es**	Tu te laver**as**	Tu t'**es** lav**é(e)**	Lave-toi
Il/Elle/On se lav**e**	Il/Elle/On se laver**a**	Il/Elle/On s'**est** lav**é(e)**	
Nous nous lav**ons**	Nous nous laver**ons**	Nous nous **sommes** lav**és(es)**	Lavons-nous
Vous vous lav**ez**	Vous vous laver**ez**	Vous vous **êtes** lav**és(es)**	Lavez-vous
Ils/Elles se lav**ent**	Ils/Elles se laver**ont**	Ils/Elles se **sont** lav**és(es)**	

S'EN ALLER (en vacances)

1. Présent	*2. Futur*	*3. Passé composé*	*4. Impératif*
Je m'en **vais**	Je m'en ir**ai**	Je **suis** all**é(e)**	
Tu t'en **vas**	Tu t'en ir**as**	Tu **es** all**é(e)**	Va
Il/Elle/On s'en **va**	Il/Elle/On s'en ir**a**	Il/Elle/On **est** all**é(e)**	
Nous nous en **allons**	Nous nous en ir**ons**	Nous **sommes** all**és(es)**	Allons
Vous vous en **allez**	Vous vous en ir**ez**	Vous **êtes** all**és(es)**	Allez
Ils/Elles s'en **vont**	Ils/Elles s'en ir**ont**	Ils/Elles **sont** all**és(es)**	
		Pierre et Françoise **sont** all**és**	

FAIRE (du bruit)

1. Présent	*2. Futur*	*3. Passé composé*	*4. Impératif*
Je fai**s**	Je fer**ai**	J' **ai** fait	
Tu fai**s**	Tu fer**as**	Tu **as** fait	Fais
Il/Elle/On fai**t**	Il/Elle/On fer**a**	Il/Elle/On **a** fait	
Nous fais**ons**	Nous fer**ons**	Nous **avons** fait	Faisons
Vous fai**tes**	Vous fer**ez**	Vous **avez** fait	Faites
Ils/Elles **font**	Ils/Elles fer**ont**	Ils/Elles **ont** fait	

PRENDRE (une photo)

1. Présent	*2. Futur*	*3. Passé composé*	*4. Impératif*
Je pren**ds**	Je prendr**ai**	J' **ai** pris	
Tu pren**ds**	Tu prendr**as**	Tu **as** pris	Prends
Il/Elle/On pren**d**	Il/Elle/On prendr**a**	Il/Elle/On **a** pris	
Nous pren**ons**	Nous prendr**ons**	Nous **avons** pris	Prenons
Vous pren**ez**	Vous prendr**ez**	Vous **avez** pris	Prenez
Ils/Elles pren**nent**	Ils/Elles prendr**ont**	Ils/Elles **ont** pris	

METTRE (ses lunettes)

1. Présent		*2. Futur*	*3. Passé composé*	*4. Impératif*
Je met**s**	mes lunettes	Je mettr**ai**	J' **ai** mis	
Tu met**s**	tes lunettes	Tu mettr**as**	Tu **as** mis	Mets
Il/Elle/On me**t**	ses lunettes	Il/Elle/On mettr**a**	Il/Elle/On **a** mis	
Nous mett**ons**	nos lunettes	Nous mettr**ons**	Nous **avons** mis	Mettons
Vous mett**ez**	vos lunettes	Vous mettr**ez**	Vous **avez** mis	Mettez
Ils/Elles met**tent**	leurs lunettes	Ils/Elles mettr**ont**	Ils/Elles **ont** mis	

VOULOIR (se baigner)

1. Présent		*2. Futur*	*3. Passé composé*	*4. Impératif*
Je **veux**	me baigner	Je voudr**ai**	J' **ai** voulu	
Tu **veux**	te baigner	Tu voudr**as**	Tu **as** voulu	Veux/Veuille
Il/Elle/On **veut**	se baigner	Il/Elle/On voudr**a**	Il/Elle/On **a** voulu	
Nous **voulons**	nous baigner	Nous voudr**ons**	Nous **avons** voulu	Voulons/Veuillons
Vous **voulez**	vous baigner	Vous voudr**ez**	Vous **avez** voulu	Voulez/Veuillez
Ils/Elles **veulent**	se baigner	Ils/Elles voudr**ont**	Ils/Elles **ont** voulu	

Des verbes « difficiles » (modèles)

		PRÉSENT	FUTUR	PASSÉ COMPOSÉ	IMPÉRATIF
en *IR*	***COURIR***	je cours, il court nous courons, ils courent	je courrai	j'ai couru	cours courons
	DORMIR	je dors, il dort nous dormons, ils dorment	je dormirai	j'ai dormi	dors dormons
	OUVRIR	j'ouvre, il ouvre nous ouvrons, ils ouvrent	j'ouvrirai	j'ai ouvert	ouvre ouvrons
	TENIR	je tiens, il tient nous tenons, ils tiennent	je tiendrai	j'ai tenu	tiens tenons
	VENIR	je viens, il vient nous venons, ils viennent	je viendrai	je suis venu	viens venons
en *OIR*	***APERCEVOIR***	j'aperçois, il aperçoit nous apercevons, ils aperçoivent	j'apercevrai	j'ai aperçu	aperçois apercevons
	DEVOIR	je dois, il doit nous devons, ils doivent	je devrai	j'ai dû	dois devons
	FALLOIR (impersonnel)	il faut	il faudra	il a fallu	—
	PLEUVOIR (impersonnel)	il pleut	il pleuvra	il a plu	—
	POUVOIR	je peux, il peut nous pouvons, ils peuvent,	je pourrai	j'ai pu	—
	SAVOIR	je sais, il sait nous savons, ils savent	je saurai	j'ai su	sache sachons
	VOIR	je vois, il voit nous voyons, ils voient	je verrai	j'ai vu	vois voyons
en *RE*	***BOIRE***	je bois, il boit, nous buvons, ils boivent	je boirai	j'ai bu	bois buvons
	CONDUIRE	je conduis, il conduit nous conduisons, ils conduisent	je conduirai	j'ai conduit	conduis conduisons
	CONNAÎTRE	je connais, il connaît nous connaissons, ils connaissent	je connaîtrai	j'ai connu	connais connaissons
	CROIRE	je crois, il croit nous croyons, ils croient	je croirai	j'ai cru	crois croyons
	DIRE	je dis, il dit nous disons, ils disent	je dirai	j'ai dit	dis disons, dites
	ÉCRIRE	j'écris, il écrit nous écrivons, ils écrivent	j'écrirai	j'ai écrit	écris écrivons
	LIRE	je lis, il lit nous lisons, ils lisent	je lirai	j'ai lu	lis lisons
	NAÎTRE	je nais, il naît nous naissons, ils naissent	je naîtrai	je suis né	nais naissons
	RIRE	je ris, il rit nous rions, ils rient	je rirai	j'ai ri	ris rions
	VIVRE	je vis, il vit nous vivons, ils vivent	je vivrai	j'ai vécu	vis vivons

LEXIQUE

ATTENTION ! *Cette liste ne présente que le* vocabulaire « actif » *de la méthode, c'est-à-dire le lexique des* dialogues *repris et manipulé dans les exercices (phonétiques, exercices écrits, mécanismes, prises de parole). On n'y trouvera pas, par contre, la totalité du* vocabulaire « réceptif » *(ou « passif ») présent dans* les documents authentiques *ou les listes ouvertes de la partie* information lexicale et grammaticale. *Le vocabulaire réceptif peut toutefois être utilisé ponctuellement dans les exercices écrits et la prise de parole d'une leçon. Ne figurent pas non plus les pronoms personnels, les adjectifs possessifs, les articles... ni le* vocabulaire grammatical.

Abréviations : *n. = nom ; v. = verbe ; adj. = adjectif ; adv. = adverbe ; prép. = préposition ; loc. = locution ; m. = masculin ; f. = féminin ; pl. = pluriel ; I., II... = Unité 1, 2... ; 1, 2 = Leçon 1, 2...*

A

A (de AVOIR) : Jacques a 25 ans — I. 1
À (prép.) : Il habite à Paris — I. 1
ABRICOT (n. m.) : L'abricot est un fruit — II. 5
ABSOLUMENT (adv.) : C'est absolument extraordinaire ! — IV. 5
ACCIDENT (n. m.) : Il a eu un accident de voiture — III. 4
ACCORD [D'] (loc.) : Rendez-vous à 3 heures ? D'accord, à 3 heures ! — I. 3
ACHAT (n. m.) : voir ACHETER — IV. 3
ACHETER (v.) : On achète du pain ? — II. 3
ACHETEUR, EUSE (n.) : voir ACHETER — II. 3
ACTEUR, TRICE (n.) : Marilyn Monroe est une grande actrice — I. 1
ADDITION (n. f.) : Garçon, l'addition s'il vous plaît ! — II. 2
ADORER (v.) : Il adore le jazz — I. 4
ADRESSE (n. f.) : Adresse : 15 rue de Paris — I. 1
AÉROPORT (n. m.) : L'aéroport de Roissy-Charles-de-Gaulle — I. 3
AFFAIRES (n. pl.) : Il faut ranger tes affaires ! — II. 4
ÂGE (n. m.) : Mon âge ? 36 ans ! — II. 4
AGENCE [IMMOBILIÈRE] (n. f.) : J'ai trouvé mon appartement par une agence — IV. 2
AGENT [DE POLICE] (n. m.) : L'agent de police est dans la rue — I. 2
AGNEAU (n. m.) : J'aime les côtelettes d'agneau — II. 3
AGRÉABLE (adj.) : C'est une ville agréable — II. 5
AI (de AVOIR) : J'ai 30 ans — I. 1
AIDE [A L'] (loc.) : Au secours ! A l'aide ! — III. 4
AIDER (v.) : Je n'arrive pas à ouvrir. Tu peux m'aider ? — III. 2
AIMER (v.) : Jacques aime beaucoup la musique — I. 4
AIR (AVOIR L') : Elle a l'air timide — III. 3
ALCOOL (n. m.) : Du vin ? Non, je ne bois pas d'alcool ! — IV. 5
ALLER (v.) : Je veux aller au cinéma — I. 3
ALLUMETTE (n. f.) : J'ai des cigarettes ! Tu as des allumettes ? — II. 4
ALORS (adv.) : Un café ? — Oui ! — Oui ! Alors 2 cafés ! — II. 2
ALTITUDE (n. f.) : L'Everest fait 8 900 mètres d'altitude — III. 2
AMÉRICAIN, AINE (adj. et n.) : Il est américain, il habite à New York — I. 1
AMI, E (n.) : Brigitte est l'amie d'Isabelle — II. 4
AMUSANT, ANTE (adj.) : Les films de Laurel et Hardy sont amusants — IV. 2
AN (n. m.) : J'ai 36 ans — I. 1
ANNÉE (n. f.) : L'année prochaine, je vais à Paris — IV. 1
ANNONCER (v.) : J'ai une bonne nouvelle à t'annoncer ! — IV. 1
ANTIPATHIQUE (adj.) : Je n'aime pas Pierre. Il est antipathique — I. 5
AOÛT (n. m.) : Le 4 août — I. 4
APÉRITIF (n. m.) : Tu prends un apéritif ? Porto, whisky ? — II. 5
APPAREIL [DE PHOTO] (n. m.) : J'ai un appareil de photo japonais — II. 4
APPARTEMENT (n. m.) : Elle a un appartement de 200 m^2 — IV. 3
APPELER (v.) : Elle est malade. Il faut appeler un médecin — III. 4
APPELER [S'] (v.) : Je m'appelle Didier. Elle s'appelle Brigitte — I. 1
APPLAUDIR (v.) : Elle a bien chanté, les spectateurs applaudissent — III. 3
APPLAUDISSEMENT (n. m.) : voir APPLAUDIR — III. 3
APPORTER (v.) : On a soif ! Apportez-nous du vin ! — III. 4
APPRENDRE (v.) : Elle apprend le français — II. 5
APPROCHER [S'] (v.) : N'ayez pas peur ! Approchez-vous ! — III. 3
APRÈS-DEMAIN (loc. adv.) : Aujourd'hui c'est lundi, après-demain c'est mercredi — III. 3
APRÈS-MIDI (n. m. ou f.) : Rendez-vous cet après-midi à 16 heures — I. 3
ARBRE (n. m.) : Elle a des arbres dans son jardin — III. 1
ARCHITECTE (n.) : Le Corbusier est un architecte français — I. 1
ARCHITECTURE (n. f.) : voir ARCHITECTE — II. 5
ARGENT (n. f.) : Tu as de l'argent ? — Oui j'ai 100 francs ! — II. 3
ARMOIRE (n. f.) : Range tes affaires dans l'armoire — IV. 4
ARRÊT (n. m.) : voir ARRÊTER [S'] — III. 2
ARRÊTER [S'] (v.) : On s'arrête ici ? — III. 1
ARRIÈRE (adj. et adv.) : La roue arrière est à plat ! — III. 2
ARRIVER (v.) : Jacques est en retard ! Ah il arrive ! — I. 5
ARRIVER [À] (v.) : Je n'arrive pas à ouvrir ! Aide-moi ! — III. 2
ARTICHAUT (n. m.) : En Bretagne, on mange de bons artichauts — III. 1
ASPIRINE (n. f.) : A la pharmacie on peut acheter de l'aspirine — II. 3
ASSEOIR [S'] (v.) : Il y a des chaises. Asseyez-vous ! — III. 2
ASSEZ (adv.) : J'ai sommeil. Je n'ai pas assez dormi — III. 4
ASSIETTE (n. f.) : Mets les assiettes sur la table ! — III. 5
ATTENDRE (v.) : Il est en retard. Il faut l'attendre — II. IV
ATTENTION (n. f.) : Il faut faire attention au feu — III. 1
AUJOURD'HUI (adv.) : Aujourd'hui c'est dimanche — II.2
AUSSI (adv.) : J'aime le jazz et aussi le disco — I. 4
AUTANT (adv.) : J'ai autant de vêtements que toi — IV. 4
AUTOMNE (n. f.) : L'été est fini, l'automne arrive — IV. 2
AUTORISATION (n. f.) : Il faut une autorisation pour camper ici — III. 1
AUTOROUTE (n. f.) : Il y a une autoroute de Paris à Marseille — IV. 2
AUTRE (adj.) : De ce côté la mer, de l'autre côté la montagne — IV. 4
AVANT-HIER (loc. adv.) : On est le 5. Il est arrivé avant hier le 3 ! — III. 3
AVEC (prép.) : Jacques déjeune avec Viviane — I. 3
AVION (n. m.) : Le Concorde est un bel avion — IV. 1
AVOIR (v.) : Elle a 20 ans — I. 1
AVRIL : Le 1er avril — I. 4
AYONS, AYEZ (v.) de AVOIR — III. 3

B

BAC [BACCALAURÉAT] (n. m.) : Je passe mon bac cette année — IV. 1
BAIGNER [SE] (v.) : On est allé à la plage et on s'est baigné — III. 3
BANLIEUE (n. f.) : Tu habites dans le centre de Paris ? — Non, en banlieue ! — IV. 1
BANQUE (n. f.) : Je vais à la banque prendre de l'argent — II. 5
BAR (n. m.) : On prend un verre au bar de l'hôtel ? — III. 4

BAS, BASSE (adj.) : Une table basse IV. 4
BAS [EN] (loc. adv.) : Elle attend en bas IV. 2
BEAU, BEL, BELLE (adj.) : Paris c'est beau ! — Oui c'est une belle ville ! II. 3
BEAU [IL FAIT] loc. : Il y a du soleil, il fait beau IV. 2
BEAUCOUP (adv.) : Vous aimez la musique ? — Oui, beaucoup I. 3
BEL, BELLE (adj.) : voir BEAU II. 3
BESOIN [AVOIR] : J'ai beaucoup travaillé. J'ai besoin de vacances III. 2
BEURRE (n. m.) : Le matin, je mange du pain et du beurre II. 2
BIEN (adv.) : Tu veux du pain ? Oui je veux bien II. 1
C'est une bonne étudiante, elle travaille bien IV. 3
BIEN SÛR (loc. adv.) : Il est musicien. — Il aime Mozart ? — Bien sûr ! I. 4
BIENTÔT [A] (adv.) : Au revoir et à bientôt ! I. 2
BIÈRE (n. f.) : J'aime la bière allemande II. 2
BINIOU (n. m.) : C'est un musicien breton, il joue du biniou III. 3
BLANC, BLANCHE (adj.) : Il a une chemise blanche IV. 4
BLEU, E (adj.) : La mer est bleue IV. 2
BLOND, ONDE (adj.) : Tu es brune ? — Non, je suis blonde ! I. 5
BLOUSON (n. m.) : Il a un blouson de cuir II. 4
BOIRE (v.) : Elle boit du café au lait I. 4
BOIS (n. m.) : Une table en bois II. 4
BOISSON (n. f.) : Le jus de fruit est une boisson II.2
BOÎTE (n. f.) : Il a donné une grande boîte de chocolats III. 5
BOL (n. m.) : Le matin, je prends un bol de café III. 5
BON, BONNE (adj.) : Le restaurant est bon et pas cher II. 2
BONJOUR (n. m.) : Bonjour Jacques ! Ça va ? I. 2
BONNE NUIT (n. f.) : Bonne nuit et à demain I. 2
BONSOIR (n. m.) : Bonsoir Pierre I. 2
BORD [AU - DE] (loc.) : Il habite au bord de la mer III. 3
BOUCHER, ÈRE (n.) : Le boucher a un beau rôti II. 3
BOUCHERIE (n. f.) : Je vais à la boucherie II. 3
BOULANGER, ÈRE (n.) : Le boulanger a du bon pain II. 3
BOUTEILLE (n. f.) : Une bouteille de vin II. 3
BRETON, ONNE (adj.) : Il est breton. Il habite St-Malo III. 3
BRONZER (v.) : Je bronze au soleil IV. 2
BRUN, BRUNE (adj.) : Il est blond ou brun ? I. 5
BU (v.) : de BOIRE III. 4
BURALISTE (n.) : Le buraliste vend des cigarettes II. 3
BUREAU (n. m.) : J'ai un grand bureau II. 1
BUS [AUTO-] : Je vais à mon travail en bus IV. 1

C

ÇA [VA] : Ça va ? — Oui et toi ? I. 2
CADEAU (n. m.) : Je t'ai apporté un cadeau. — Oh, merci ! III. 5
CAFÉ (n. m.) : J'aime boire du café I. 4
Il travaille dans un café III. 3
CAISSE (n. f.) : Cette caisse est lourde IV. 4
CALVA [DOS] (n. m.) : Le calvados est un alcool III. 5
CAMION (n. m.) : Le camion de déménagement est là IV. 4
CAMPAGNE (n. f.) : J'aime la campagne I. 4
CAMPER (v.) : Cet été je vais camper en Bretagne III. 1
CAMPEUR, EUSE (n.) : de CAMPER III. 1
CAMPING (n. m.) : Il y a un terrain de camping près d'ici ? III. 1
CAPITALE (n. f.) : Paris est la capitale de la France IV. 2
CARAFE (n. f.) : Une carafe d'eau, s.v.p. ! II. 2
CARAMEL (n. m.) : Une crème caramel et un café s.v.p. ! II. 2
CARBONE (n. m.) : Le carbone est à côté de la machine à écrire II. 1
CARTE (n. f.) : Il y a une carte et un menu II. 2
CARTE [ROUTIÈRE] (n. f.) : Ou est Marseille ? — Regarde sur la carte ! IV. 2
CARTE [POSTALE] (n. f.) : J'écris une carte postale II. 3
CARTON (n. m.) : Ce carton est plein de livres IV. 4
CASSER (v.) : Excuse-moi, j'ai cassé un verre ! III. 4
CÉLIBATAIRE (n.) : Vous êtes marié ? — Non, célibataire ! II. 2
CENTRE (n. m.) : Elle habite au centre de Paris IV. 1
CENTRE [COMMERCIAL] (n. m.) : Il y a un centre commercial à 100 mètres IV. 3
CHAISE (n. f.) : Cette chaise est libre ? II. 1
CHAMBRE (n. f.)) : Je vais dormir dans ma chambre II. 5
CHAMP (n. m.) : C'est un champ d'artichauts III. 1
CHAMPAGNE (n. m.) : Le champagne, c'est bon ! IV. 5
CHANCE (n. f.) : Il a gagné le concours. Il a de la chance III. 5
CHANGER (v.) : La roue est à plat ! Il faut la changer III. 2
CHANT (n. m.) : de CHANTER III. 3
CHANTER (v.) : Je chante « Frère Jacques » III. 3
CHANTEUR, EUSE (n.) : Johnny HALLIDAY est un chanteur III. 3
CHARCUTERIE (n. f.) : A la charcuterie, il y a du jambon II. 3
CHARCUTIER, IÈRE (n.) : Voir CHARCUTERIE II. 3
CHARGER (v.) : On part. Il faut charger la voiture IV. 4
CHAUD, CHAUDE (adj.) : Le café est chaud III. 5
CHAUSSURE (n. f.) : J'ai des chaussures en cuir II. 4
CHEF (n. m.) : C'est le chef des ventes II. 1
CHEF D'ORCHESTRE (n. m.) : Joseph Lorentz est chef d'orchestre I. 2
CHEMISE (n. f.) : Il a une chemise blanche II. 4
CHÈQUE (n. m.) : Tu payes ? — Oui je fais un chèque II. 3
CHER, CHÈRE (adj.) : Cher papa, chère maman III. 2
300 francs un déjeuner ! C'est cher ! II. 2
CHERCHER (v.) : Il cherche du travail IV. 3
CHÉRI, [E] (adj. et n.) : Tu viens chérie ? II. 3
CHEVAL (n. m.) : Il fait du cheval en Camargue IV. 2
CHEZ (prép.) : Rendez-vous chez Paul à 3 heures ! I. 3
CHIEN (n. m.) : Elle n'aime pas les chiens IV. 4
CHOCOLAT (n. m.) : J'aime le chocolat suisse II. 2
CHOISIR (v.) : Vous avez choisi ? — Oui un steak s.v.p. IV. 1
CHÔMAGE (n. m.) : Il n'a plus de travail ; il est au chômage IV. 1
CHÔMEUR, EUSE (n.) : voir CHÔMAGE IV. 1
CIDRE (n. m.) : En Bretagne on boit du bon cidre III. 3
CIEL (n. m.) : Le ciel est bleu IV. 2
CIGARETTE (n. f.) : Tu veux une cigarette ? — Non je ne fume pas I. 4
CINÉMA (n. m.) : Je vais au cinéma avec Marie I. 3
CLASSEUR (n. m.) : Mes papiers sont dans un classeur II. 1
CLÉ (n. f.) : J'ai perdu la clé de la maison ! IV. 3
CLIENT, ENTE (n.) : Cette boucherie n'a pas de clients II. 3
CLIMAT (n. m.) : Le climat de Montpellier est agréable IV. 2
COFFRE (n. m.) : Les sacs sont dans le coffre de la voiture III. 2
COIFFEUR, EUSE (n.) : Tu vas chez le coiffeur ? I. 2
COLLÈGUE (n.) : On travaille ensemble, c'est ma collègue II. 4
COMBIEN (adv.) : Ça coûte combien ? — 100 francs II. 3
COMMENCEMENT (n. m.) : voir COMMENCER
COMMENCER (v.) : Les musiciens sont prêts. Le concert commence I. 4
COMMENT (adv.) : Comment ça va ? — Bien ! I. 2
COMPRENDRE (v.) : Allô ! Je ne comprends pas ! Épelez s.v.p. ! II. 5
CONCERT (n. m.) : Un concert de jazz I. 4
CONCIERGE (n.) : Le concierge est dans l'escalier I. 2
CONCOURS (n. m.) : Elle a gagné le concours de chant III. 3
CONCURRENT, ENTE (n.) : Voici la première concurrente III.
CONDUIRE (v.) : Vous savez conduire ? IV. 1
CONFITURE (n. f.) : J'aime le pain et la confiture II. 2
CONNAISSANCE (n. f.) : Enchanté de faire votre connaissance ! IV. 5
CONNAÎTRE (v.) : Vous connaissez Jacques Martineau ? III. 2
CONSEIL (n. m.) : voir CONSEILLER III.
CONSEILLER (v.) : Je vous conseille ce restaurant IV.
CONSEILLER [DE] (v.) : Je vous conseille de partir III.
CONSERVE (n. f.) : A l'épicerie on vend des conserves II.
CONTENT, ENTE (adj.) : Il est en retard. Elle n'est pas contente I. 5
CONTINUER (v.) : Il veut continuer son travail IV.
CONTINUER [À] (v.) : Il continue à fumer IV. 4
CONTRE (prép.) : On déménage ? Ah non, je suis contre ! IV.
COPAIN (n. m.) : C'est mon copain, c'est mon ami II,
COPINE (n. f.) : voir COPAIN II.
CÔTÉ (n. m.) : C'est de ce côté ! Non c'est de l'autre côté ! IV.
CÔTÉ [A - DE] (loc.) : Le bureau est à côté de la fenêtre II.
CÔTELETTE (n. f.) : 3 côtelettes de mouton, s.v.p. II.
COUCHER [SE] (v.) : Je me suis couché à minuit III.
COULOIR (n. m.) : Ce couloir est étroit IV.
COUPER (v.) : Je coupe la viande ? — D'accord ! IV.
COURRIER (n. m.) : Il y a du courrier ? — Oui une lettre IV.
COURSES [FAIRE LES-] (n. f. pl.) : Il fait les courses au supermarché III.
COURT, E (adj.) : Ce pantalon est trop court IV.
COUSIN, INE (n.) : C'est mon cousin, le fils de mon oncle Paul II.
COUTEAU (n. m.) : Prends un couteau pour couper ta viande ! III.
COÛTER (v.) : Ça coûte combien ? — 100 francs ! II.
COUVERT (n. m.) : Les couverts sont sur la table IV.
CRÈME (n. f.) : J'aime la crème caramel II.
CRÈMERIE (n. f.) : Je vais à la crèmerie acheter du lait II.
CRÉMIER, IÈRE (n.) : de CRÈMERIE II.
CRÊPE (n. f.) : Les crêpes bretonnes sont bonnes ! III.
CRIC (n. m.) : Prends le cric dans le coffre ! III.
CROIRE (v.) : C'est Jacques ? — Oui, je crois ! III.
CROISSANT (n. m.) : Un café et un croissant s.v.p. II.
CUEILLIR (v.) : Je cueille des pommes III.

ꞌUILLÈRE (n. f.) : Une cuillère et une fourchette, s.v.p. III. 5
ꞌUIR (n. m.) : J'ai une veste en cuir II. 4
ꞌUIRE [FAIRE] (v.) : Je fais cuire les côtelettes ? — D'accord III. 5
ꞌUISINE (n. f.) : La cuisine de mon appartement est petite IV. 3
Le dimanche, j'aime faire la cuisine IV. 3

D

ꞌAME (n. f.) : Cette dame est gentille II. 1
ꞌANGER (n. m.) : Attention ! Danger ! III. 4
ꞌANGEREUX, EUSE (adj.) : La moto c'est dangereux IV. 1
ꞌANGEREUSEMENT (adv.) : voir DANGEREUX IV. 3
ꞌANS (prép.) : Il est dans la rue I. 2
ꞌANSE (n. f.) : J'aime la danse moderne III. 3
ꞌANSER (v.) : On a dansé de 11 h à 2 h du matin III. 3
ꞌANSEUR, EUSE (n.) : de DANSER III. 3
ÉCEMBRE (n. m.) : Le 31 décembre 1999 I. 4
ꞌÉCHARGER (v.) : Il faut décharger le camion IV. 4
ÉFENDRE (v.) : Je vous défends de camper ici ! III. 1
ÉFENDU (v.) : de DÉFENDRE III. 1
ÉFENSE (n. f.) : Défense de fumer ! III. 1
ÉJEUNER (v.) : Il est midi. On déjeune ? I. 3
ÉJEUNER (n. m.) : Au déjeuner je mange un steak II. 1
ÉLICIEUX, EUSE (adj.) : Le gigot c'est délicieux ! IV. 5
EMAIN (adv.) : Aujourd'hui c'est lundi, demain, mardi III. 3
EMAIN [À] (loc.) : Au revoir ! A demain ! I. 2
EMANDER (v.) : Je peux vous demander un renseignement III. 1
ÉMÉNAGEMENT (n. m.) : de DÉMÉNAGER IV. 1
ÉMÉNAGER (v.) : On part à Marseille. On déménage en juin IV. 1
EMIE (adj.) : Il est midi et demie I. 2
ENTISTE (n.) : Il est dentiste, elle est médecin I. 1
ÉPART (n. m.) : Le départ est à 10 heures III. 5
ÉPÊCHER [SE] (v.) : On est en retard. Dépêchez-vous ! III. 3
ꞌRNIER, ÈRE (n.) : Il a perdu le concours, il est dernier III. 3
ꞌRRIÈRE (prép.) : J'habite derrière la mairie II. 1
ꞌSAGRÉABLE (adj.) : Le vendeur est désagréable IV. 2
ꞌSCENDRE (v.) : Descends ! Je t'attends dans la rue IV. 3
ꞌSIRER (v.) : Vous désirez ? Un café s.v.p. II. 3
ꞌSOLÉ, E (adj.) : Je vous ai fait mal ? Je suis désolé ! IV. 3
ꞌSSERRER (v.) : Je n'arrive pas à desserrer la roue III. 2
ꞌSSERT (n. m.) : Un dessert ? — Oui une crème caramel II. 2
ꞌSSOUS [EN] (loc.) : Sur la carte l'Espagne est en dessous de la France IV. 2
ꞌSSUS [AU] (loc.) : Sur la carte la France est au-dessus de l'Espagne IV. 2
ꞌTESTER (v.) : Je déteste le disco I. 4
ꞌUX-ROUES (n. m.) : La moto est un deux roues IV. 1
ꞌVANT (prép.) : Elle est devant la maison I. 2
ꞌVENIR (v.) : Il devient directeur de l'usine IV. 1
ꞌVINER (v.) : Qui est-ce ? — Devine ! IV. 1
ꞌVOIRS (n. m.) : Les enfants font leurs devoirs II. 5
ꞌFFÉRENT, ENTE (adj.) : Ces chapeaux sont pareils ! — Non, ils sont férents ! IV. 4
ꞌFFICILE (adj.) : C'est facile le violon ? — Non c'est difficile ! IV. 3
ꞌMANCHE (n. m.) : Rendez-vous dimanche I. 3
ꞌNER (v.) : Il est 8 heures ! Je vais dîner ! I. 3
ꞌNER (n. m.) : Au dîner je mange du poisson II. 1
ꞌRE (v.) : Il dit bonjour à Jacques I. 2
ꞌRECTEUR, TRICE (n.) : Il est directeur de I.B.M. II. 1
ꞌRECTION (n. f.) : C'est dans quelle direction ? — Tout droit ! IV. 3
ꞌRIGER (v.) : Elle dirige une agence immobilière IV. 3
ꞌSPUTER [SE] (v.) : Les enfants, arrêtez de vous disputer ! IV. 4
ꞌSQUE (n. m.) : J'écoute un bon disque II. 5
ꞌT (v.) : de DIRE
ꞌVORCE, ÉE (adj.) : Tu es marié ? — Divorcé ! II. 2
ꞌCTEUR (n. m.) : Le docteur donne un rendez-vous I. 3
ꞌCUMENTALISTE (n.) : Je suis documentaliste à la radio IV. 1
ꞌMICILE (n. m.) : Domicile : 3 rue de Paris I. 1
ꞌNNER (v.) : Il donne un rendez-vous à Jacques I. 3
Donne-moi de l'argent ! II. 3
ꞌRMIR (v.) : Le week end, j'aime dormir jusqu'à midi I. 4
ꞌUCHE (n. f.) : J'ai chaud. Je vais prendre une douche III. 4
ꞌUX, DOUCE (adj.) : Le climat de la Bretagne est doux IV. 2
ꞌOIT [TOUT] (loc.) : C'est à gauche ? — Non, tout droit ! IV. 3
ꞌOIT (n. m.) : Il fait des études de droit IV. 1
ꞌOITE (n. f.) : C'est à gauche ? — Non, à droite ! IV. 2

E

EAU (n. f.) : Du vin ? — Non, de l'eau s.v.p. ! II. 2
ÉCHELLE (n. f.) : Elle est tombée de l'échelle III. 4
ÉCOLE (n. f.) : Je vais à l'école du lundi au samedi II. 1
ÉCOUTER (v.) : Je vais écouter un concert de piano I. 4
ÉCRASER (v.) : Il a écrasé un chien III. 4
ÉCRIRE (v.) : Il faut écrire des cartes postales III. 5
ÉGALEMENT (adv.) : J'ai également 2 enfants IV. 5
ÉGLISE (n. f.) : L'église est à côté de la mairie III. 2
ÉLECTRIQUE (adj.) : C'est une machine électrique II. 1
ÉLÈVE (n.) : C'est un bon élève. Il travaille bien IV. 5
EMBRASSER (v.) : Je t'embrasse et à bientôt ! II. 4
EMPLOI (n. m.) : Il a trouvé un emploi chez Renault IV. 1
EN (prép.) : Il habite en France I. 1
ENCHANTÉ, ÉE (adj.) : Je suis enchanté de vous voir II. 1
— Viviane Barillon ! — Enchanté II. 1
ENCORE (adv.) : Je n'ai plus de café mais j'ai encore du thé II. 3
ENDROIT (n. m.) : J'aime bien cet endroit. C'est joli ! III. 1
ENFANT (n. m.) : J'ai 2 enfants : un garçon et une fille II. 5
ENNUYEUX, EUSE (adj.) : Il n'y a pas de garage ! C'est ennuyeux IV. 2
ENSEMBLE (adv.) : On travaille ensemble ? — D'accord ! II. 1
ENTRE (prép.) : J'habite entre Paris et Orléans IV. 2
ENTRÉE (n. f.) : Où est l'entrée de l'immeuble ? III. 3
ENTREPRISE (n. f.) : Elle travaille dans une entreprise américaine IV. 1
ENTRER (v.) : Je peux entrer ? — Bien sûr ! III. 2
ENVELOPPE (n. f.) : Mets ta carte postale dans une enveloppe IV. 2
ENVIE (n. f.) : Viens dîner ! — Non, je n'ai pas envie de manger III. 5
ENVIRON (adv.) : C'est à environ 30 kilomètres IV. 1
ENVOYER (v.) : Elle m'a envoyé un cadeau IV. 1
ÉPELER (v.) : Mary ? Épelez s.v.p. ! — M-A-R-Y... I. 3
ÉPICERIE (n. f.) : Je vais à l'épicerie acheter de l'huile II. 3
ÉPICIER, IÈRE (n.) : voir ÉPICERIE II. 3
ESCALIER (n. m.) : La concierge est dans l'escalier I. 2
ESSAYER (v.) : Je vais essayer de travailler ce week end II. 5
EST (v.) : voir ÊTRE I. 1
EST (n. m.) : C'est à l'Ouest ou à l'Est ? IV. 1
EST-CE-QUE : Est-ce-que tu es libre demain ? — Oui I. 3
ET : Voilà Jacques et Paul I. 2
ÉTAGE (n. m.) : J'habite au 5ᵉ étage IV. 3
ÉTAGÈRE (n. f.) : Mes livres sont sur des étagères IV. 4
ÉTÉ (n. m.) : L'été il fait chaud à Paris IV. 2
ÉTRANGER, ÈRE (adj. et n.) : Tu as une voiture française ? — Non, étrangère ! IV. 1
ÊTRE (v.) : Il est français, elles sont allemandes I. 3
ÉTROIT, E (adj.) : Cette porte est étroite IV. 4
ÉTUDE (n. f.) : Je fais des études de médecine IV. 1
ÉTUDIANT, IANTE (n.) : Maria est étudiante à Madrid I. 1
EU (v.) : de AVOIR III. 4
EXACTEMENT (adv.) : Montpellier, où est-ce exactement ? IV. 3
EXCELLENT, ENTE (adj.) : Le Champagne c'est excellent IV. 5
EXCUSER [S'] (v.) : Je suis en retard ! Je m'excuse ! III. 1
EXEMPLE [PAR-] (loc.) : Vous avez un journal ? « Le Monde » par exemple ! IV. 5
EXTÉRIEUR (n. m.) : A l'extérieur il fait froid IV. 4
EXTRAORDINAIRE (adj.) : Venise, c'est une ville extraordinaire IV. 5

F

FAC [FACULTÉ] (n. f.) : Elle est étudiante à la fac de médecine IV. 1
FACE [EN - DE] (loc.) : J'habite en face de la Tour Eiffel III. 3
FACILEMENT (adv.) : C'est tout droit. Vous trouverez facilement IV. 3
FAIM (n. f.) : J'ai faim ! — Eh bien, mange ! III. 5
FAIRE (v.) : Le week end je fais du tennis I. 4
Ça fait combien ? — 100 francs ! II. 3
Qu'est-ce que vous faites ? — Je suis journaliste II. 5
FALLOIR (v.) : Il va falloir partir IV. 5
FAMILLE (n. f.) : J'habite Paris mais ma famille est à Lyon II. 4
FAUDRA (v.) : de FALLOIR. Il me faudra une moto IV. 1
FAUT (v.) : de FALLOIR. Il faut travailler pour vivre II. 4
FAUX, FAUSSE (adj.) : C'est vrai ! — Non, c'est faux IV. 1
FEMME (n. f.) : Brigitte Bardot est une jolie femme I. 2
FENÊTRE (n. f.) : Il est devant la fenêtre II. 1

FERME (n. f.) : Il travaille dans une ferme en Bretagne III. 1
FERMIER, IÈRE (n.) : de FERME III. 1
FÊTE (n. f.) : Le 14 juillet c'est la fête nationale III. 2
FEU (n. m.) : Il fait froid ! Je vais faire du feu ! III. 1
Les voitures s'arrêtent au feu rouge IV. 3
FÉVRIER (n. m.) : Le 29 février I. 5
FILLE (n. f.) : Ma fille Pauline a 3 ans II. 4
FILM (n. m.) : J'aime les films de Fellini III. 4
FILS (n. m.) : Mon fils Pierre a 5 ans II. 4
FINIR (v.) : Ouf ! J'ai fini mon travail ! III. 3
FOIS (n. f.) : C'est la première et la dernière fois ! IV. 5
FONCTIONNAIRE (n.) : Il est fonctionnaire à l'UNESCO IV. 1
FOOTBALL (n. m.) : Le week end, je joue au football I. 4
FORMIDABLE (adj.) : Le ski c'est formidable ! IV. 2
FORT (adv.) : Il pleut très fort III. 3
FORT, FORTE (adj.) : Il est fort. Il porte 100 kilos IV. 4
FOU, FOLLE (adj. et n.) : Tu es fou ! Tu vas trop vite ! III. 1
FOUR (n. m.) : Le poisson au four, c'est bon ! III. 5
FOURCHETTE (n. f.) : Garçon, un couteau et une fourchette ! III. 5
FRANC (n. m.) : Ça coûte 30 francs II. 3
FRANÇAIS, AISE (adj. et n.) : Jacques Martineau est français I. 1
FRÈRE (n. m.) : J'ai 20 ans, mon frère a 18 ans II. 4
FRITES (n. f. pl.) : Un steak-frites s.v.p. II. 2
FROID, FROIDE (adj.) : Brrr ! L'eau est froide III. 5
FROMAGE (n. m.) : Le Camembert est un bon fromage II. 2
FRUIT (n. m.) : Un fruit ou une glace ? II. 2
FUMER (v.) : Je fume des cigarettes américaines I. 4
FUMEUR, EUSE (n.) : de FUMER

G

GAGNER (v.) : Il a gagné le concours III. 3
Elle gagne 10 000 francs par mois IV. 1
GAI, GAIE (adj.) : Il est triste ? — Non il est gai I. 5
GARAGE (n. m.) : La voiture est dans le garage IV. 3
GARÇON (n. m.) : J'ai un garçon et une fille II. 5
GARDER (v.) : Je te garde une place au restaurant IV. 4
GARE (n. f.) : Je vais à la gare. Le train part à midi IV. 3
GARER (v.) : Va garer la voiture au parking III. 3
GAUCHE [À-] (loc.) : La poste est à gauche IV. 2
GENTIL, ILLE (adj.) : Vivienne est gentille I. 5
GIGOT (n. m.) : J'aime le gigot d'agneau IV. 5
GLACE (n. f.) : Un fromage et une glace s.v.p. II. 2
GONFLER (v.) : Il faut gonfler le vélo III. 2
GRAMME (n. m.) : Un kilo ? — Non, 500 grammes II. 3
GRAND, E (adj.) : Josef Lorentz est grand I. 5
GRAND-MÈRE (n. f.) : Ma grand-mère a 95 ans II. 5
GRAND-PÈRE (n. m.) : Mon grand-père a 100 ans II. 5
GRATUIT, E (adj.) : Ça coûte combien ? — C'est gratuit IV. 3
GRAVE (adj.) : Tu as mal ? — Non, ce n'est pas grave III. 4
GROS, GROSSE (adj.) : Hardy est gros, Laurel est maigre I. 5
GUIDE (n. m.) : J'ai un guide de Paris III. 2
GUITARE (n. f.) : Il joue de la guitare folk I. 5

H

HABITANT, E (n.) : A Paris, il y a 12 millions d'habitants IV. 2
HABITER (v.) : Diana habite à Londres I. 1
HABITUER [S'] (v.) : Je m'habitue à ma nouvelle voiture IV. 4
HAUT, E (adj.) : La Tour Eiffel est haute III. 5
HAUT [EN] (loc.) : Qui habite en haut ? IV. 1
HEURE (n. f.) : Il est 3 heures et demie I. 2
HEURE [TOUT À L'-] (loc.) : Au revoir, à tout à l'heure III. 5
Tu pars tout de suite ! — Non tout à l'heure IV. 5
HEUREUX, EUSE (adj.) : Je suis heureux de te voir IV. 5
HEUREUSEMENT (adv.) : de HEUREUX IV. 5
HIER (adv.) : Qu'est-ce que tu as fait hier soir ? III. 3
HIVER (n. m.) : L'hiver il fait froid dans le Nord IV. 2
HOMME (n. m.) : Jacques c'est un homme de 30 ans III. 3
HÔTEL (n. m.) : Il habite à l'hôtel II. 1
HUILE (n. f.) : J'aime la cuisine à l'huile II. 3

I

ICI (adv.) : M. Martineau habite ici ? — Oui I.
IDÉE (n. f.) : On va au cinéma ? — Bonne idée ! II.
IL Y A (loc.) : Au programme, il y a la 9e symphonie de Bach I.
IMMÉDIATEMENT (adv.) : Sortez immédiatement ! IV.
IMMEUBLE (n. m.) : J'habite un immeuble de 3 étages IV.
INFIRMIER, IÈRE (n.) : Marie est infirmière I.
INGÉNIEUR (n.) : Il est ingénieur chez Total I.
INQUIÉTER [S'] (v.) : Ne t'inquiète pas ! J'arrive ! IV.
INSTALLATION (n. f.) : de INSTALLER IV.
INSTALLER [S'] (v.) : Ils s'installent dans leur nouvelle maison IV.
INSTRUMENT (n. m.) : Le violoncelle c'est un bel instrument III.
INTERDICTION (n. f.) : Interdiction de fumer III.
INTERDIRE (v.) : Je vous interdis de parler III.
INTERDIT (adj.) : de INTERDIRE III.
INTÉRESSANT, ANTE (adj.) : Ce livre est intéressant IV.
INTÉRESSER (v.) : Ce film t'intéresse ? IV.
INTÉRIEUR (n. m.) : Viens à l'intérieur de la maison ! IV.
INTERVIEW (n. f.) : La journaliste téléphone pour une interview I.
INVITATION (n. f.) : de INVITER IV.
INVITER (v.) : Il a invité ses amis à dîner II.

J

JAMBE (n. f.) : Il s'est cassé la jambe III.
JAMBON (n. m.) : Je vais acheter du jambon à la charcuterie II.
JANVIER (n. m.) : Le 1er janvier 1983 I.
JARDIN (n. m.) : Elle a une villa avec un jardin IV.
JEUNE (adj.) : Elle est jeune. Elle a 16 ans I.
JOLI, E (adj.) : Tu as une jolie robe III.
JOUER (v.) : Il joue du piano I.
Je joue au football I.
JOUR (n. m.) : Elle arrive dans 3 jours III.
JOURNAL, AUX (n. m.) : J'achète le journal le matin II.
JOURNALISTE (n. f.) : Vivienne est journaliste I.
JOURNÉE (n. f.) : Il dort toute la journée IV.
JUILLET (n. m.) : Il arrive au mois de juillet I.
JUPE (n. f.) : Elle a une jupe rouge II.
JUS (n. m.) : J'aime le jus d'orange II.
JUSQU'À (prép.) : Je travaille jusqu'à 6 heures IV.
Il va jusqu'à Marseille IV.

K

KILO (n. m.) : Le rôti, c'est 70 francs le kilo ! II.
KILOMÈTRE (n. m.) : Paris-Marseille ça fait 850 kilomètres III.

L

LÀ (adv.) : Pierre est là ? II.
LÀ-BAS (loc. adv.) : Tu vois Paul là-bas ? II.
LÂCHER (v.) : Ne lâche pas l'échelle III.
LAID, E (adj.) : Cette maison est laide II.
LAISSER (v.) : Au revoir ! Je vous laisse, j'ai du travail III.
LAIT (n. m.) : Un café au lait, s.v.p. II.
LAMPE (n. f.) : Tu as une belle lampe sur ton bureau ! II.
LARGE (adj.) : La fenêtre est assez large IV.
LAVABO (n. m.) : Je peux me laver les mains ? Il y a un lavabo ? IV.
LÉGER, ÈRE, (adj.) : 1 kilo ! Ce carton est léger ! IV.
LÉGUME (n. m.) : Qu'est-ce que vous prenez comme légumes ? II.
LETTRE (n. f.) : Il y a une lettre pour vous, M. Martineau II.
LEVER [SE] (v.) : Je me lève à 7 heures du matin III.
LIBRAIRE (n.) : Le libraire vend des livres de français II.
LIBRAIRIE (n. f.) : de LIBRAIRE II.
LIBRE (adj.) : Vous êtes libre mardi ? — Oui à 3 heures ! I.
LIRE (v.) : Le week end j'aime lire le journal I.
LIT (n. m.) : Je suis fatigué ! Je vais au lit IV.
LIVRE (n. m.) : « Sans frontières » est un livre de français II.
LOCATAIRE (n.) : Tu as acheté cette maison ? — Non, je suis locataire ! IV.

OCATION (n. f.) : voir LOCATAIRE	IV. 3
OGEMENT (n. m.) : Ils veulent habiter Paris.	
Ils cherchent un logement	IV. 3
OIN (adv.) : C'est loin ? — A 10 kilomètres !	III. 1
OISIR (n. m.) : Les loisirs à Montpellier : Cinéma, théâtre, musique,	
ports...	IV. 2
ONG, LONGUE (adj.) : Cette robe est trop longue.	IV. 4
OUER (v.) : Je vais louer une villa à Nice	IV. 3
OURD, E (adj.) : 100 kilos ! C'est lourd !	IV. 4
OYER (n. m.) : Le loyer est de 3 000 francs par mois	IV. 3
U (v.) : de LIRE	III. 3
UNDI (n. m.) : Rendez-vous lundi 3 janvier	I. 3
YCÉE (n. m.) : Dans mon lycée, il y a un professeur français	IV. 1

M

IACHINE (n. f.) : C'est une machine à écrire électrique	II. 1
IADAME (n. f.) : Madame et Monsieur Lenoir	I. 2
IADEMOISELLE (n. f.) : Bonsoir Mademoiselle	I. 2
IAGASIN (n. m.) : Je travaille dans un magasin de vêtements	II. 3
IAGNIFIQUE (adj.) : Rio de Janeiro c'est magnifique !	IV. 5
IAI (n. m.) : Rendez-vous le 1er mai à Paris	I. 5
IAIN (n. f.) : La main droite ou la main gauche ?	III. 2
IAIRIE (n. f.) : C'est à côté de la mairie de Paris	II. 1
IAIS (conj.) : Lundi je travaille mais mardi je suis libre	I. 3
IAISON (n. f.) : Jacques est dans la maison	I. 2
IAL [SE FAIRE] (n. m.) : Il s'est fait mal à la jambe	III. 4
IALADE (adj.) : Ça va ? — Non, je suis malade	III. 5
IALHEUREUSEMENT (adv.) : Malheureusement, je ne peux pas venir	IV. 5
IAMAN (n.f.) : Ma chère maman, mon cher papa	II. 4
IANGER (v.) : Je vais manger au restaurant	I. 4
IANIVELLE (n. f.) : La manivelle est dans le coffre	III. 2
IANTEAU (n. m.) : J'ai un manteau en laine	II. 4
IARCHÉ (n. m.) : Je vais au marché acheter des fruits	IV. 5
IARCHER (v.) : Cette machine marche bien	II. 1
Tu viens en voiture ? — Non je préfère marcher	III. 4
IARDI (n. m.) : Vous êtes libre mardi à 3 heures ?	I. 3
IARI (n. m.) : Pierre est le mari de Colette	II. 4
IARIÉ, ÉE (adj.) : Tu es marié ? — Non, célibataire	II. 2
IATELAS [PNEUMATIQUE] (n. m.) : Gonfle le matelas pneumatique !	III. 1
IATIN (n. m.) : Lundi matin je travaille	I. 3
IAUVAIS (adv.) : Il fait mauvais, il pleut	IV. 2
IÉCHANT, E (adj.) : Jeanne, tu es méchante !	I. 5
IÉDECIN (n. m.) : Antoine est médecin	I. 1
IÉDICAMENT (n. m.) : Je vais à la pharmacie acheter des médicaments	II. 3
IEILLEUR, E (adj.) : Le vin c'est bon, mais le champagne c'est meilleur	IV. 5
IÉLANGER (v.) : Mélange l'eau et le vin	III. 5
IENU (n. m.) : Au menu il y a du poulet au riz	II. 2
IER (n. f.) : J'aime la montagne mais je préfère la mer	I. 4
IERCI (n. m.) : Ça va ? — Ça va, merci !	I. 2
IERCREDI (n. m.) : Mercredi, c'est le 12 juin	I. 3
IÈRE (n. f.) : Colette est la mère de Didier	II. 4
IERVEILLEUX, EUSE (adj.) : C'est une région merveilleuse	IV. 5
IESDAMES, MESDEMOISELLES, (n. pl.) : voir MADAME,	
IADEMOISELLE	I. 5
IESSIEURS (n. pl.) : voir MONSIEUR	I. 5
IESURER (v.) : Il est grand. Il mesure 1 mètre 90	IV. 5
IÉTIER (n. m.) : Quel est votre métier ? — Représentant	IV. 3
IÈTRE (n. m.) : La gare est à 500 mètres	IV. 4
IETTRE (v.) : Mets la lampe sur le bureau	III. 2
IEUBLE (n. m.) : J'ai acheté des meubles modernes	IV. 4
IICRO (n. m.) : Approche-toi du micro !	III. 3
IIDI (n. m.) : Il est midi et quart	I. 2
Il habite dans le Midi	IV. 5
IIEUX (adv.) : Cette année il travaille mieux	IV. 5
IILIEU [AU] (loc.) : Il est au milieu de la rue !	IV. 2
IINCE (adj.) : Elle est grosse. — Non, elle est mince !	I. 5
IINUIT (n. m.) : Il est minuit dix	I. 2
IODÈLE (n. m.) : C'est un nouveau modèle de machine	II. 1
IODERNE (adj.) : Il habite une maison moderne	II. 5
IOINS (adv.) : Vivienne est moins grande que Jacques	IV. 4
IOIS (n. m.) : Il part au mois de juin à Paris	IV. 3
MOMENT [EN CE-] (loc.) : En ce moment, il n'est pas là	IV. 3
MONSIEUR (n. m.) : Bonjour, Monsieur Duval	I. 2
MONTAGNE (n. f.) : J'aime la montagne	I. 4
MONTER (v.) : Je monte au 4e étage	III. 4
Il faut monter la tente	III. 1
MONTRER (v.) : Tu as vu cette photo ? — Non, montre-la !	IV. 3
MOTO (n. f.) : C'est une moto japonaise	IV. 1
MOUTON (n. m.) : J'aime la viande de mouton	IV. 5
MUSÉE (n. m.) : Tu as visité le musée du Louvre ?	III. 2
MUSICIEN, IENNE (n.) : Jacques Martineau est musicien	I. 2
MUSIQUE (n. f.) : J'adore la musique classique	I. 4

N

NE - PAS (adv.) : Je ne travaille pas lundi	I. 3
NÉ, ÉE (adj.) : Je suis né à Madrid	I. 1
NOM (n. m.) : Nom : Lenoir, prénom : Charles	I. 1
NON (adv.) : Oui ou non ?	I. 3
NON - PLUS : Je n'ai pas faim ! — Moi, non plus !	IV. 1
NORD (n. m.) : C'est au sud ou au nord ?	IV. 1
NOUVEAU, EL, ELLE (adj.) : C'est un nouvel hôtel	II. 1
NOUVELLE (n. f.) : J'ai une bonne nouvelle : on part en vacances !	IV. 1
NOVEMBRE (n. m.) : Le 11 novembre	I. 5
NUIT (n. f.) : La nuit, je dors	IV. 1
Bonne nuit ! A demain	I. 2

O

ŒUF (n. m.) : Je vais acheter des œufs	II. 3
ŒUVRE (n. f.) : Une œuvre de Mozart	I. 5
ONCLE (n. m.) : C'est mon oncle Jean	II. 5
OPÉRA (n. m.) : Il est pianiste à l'opéra de Paris	I. 2
ORANGE (n. f.) : Un jus d'orange s.v.p.	II. 5
OU : Lundi ou mardi ?	I. 4
OÙ (adv.) : Où vas-tu ?	III. 1
OUBLIER (v.) : J'ai oublié mon sac dans la voiture	III. 2
OUEST (n. m.) : A l'ouest de Paris	
OUI (adv.) : Vous êtes M. Martineau ? — Oui !	I. 3
OUVRIR (v.) : Il faut ouvrir la porte	III. 5

P

PAIN (n. m.) : Vous voulez du pain ?	II. 2
PANIER (n. m.) : Je vais faire des courses !	
— Prends un panier !	III. 4
PANNE [EN-] (n. f.) : La voiture est en panne	III. 2
PANTALON (n. m.) : Il va acheter un pantalon	II. 4
PAPA (n. m.) : Mon papa s'appelle François	II. 4
PAPIER (n. m.) : Voilà du papier et un stylo	II. 1
PAQUET (n. m.) : Un paquet de cigarettes s.v.p.	II. 4
PAR (prép.) : Par ici, s.v.p.	I. 4
PARC (n. m.) : Le parc national des Cévennes	IV. 5
PARDON (n. m.) : Pardon monsieur ! Excusez-moi !	III. 1
PAREIL, EILLE (adj.) : Leurs robes sont pareilles	IV. 4
PARENT (n. m.) : Il vient avec ses parents	II. 5
PARFAIT, E (adj.) : C'est bien ? — Oui parfait !	IV. 5
PARLER (v.) : Jacques parle à Vivienne	III. 1
Vous parlez français ?	III. 3
PARTIR (v.) : Je vais partir en Italie	III. 3
PAS (n. m.) : J'ai pleuré sur tes pas	III. 3
PAS [NE -] (adv.) : Il ne travaille pas	I. 3
PAS DU TOUT (loc.) : Il n'aime pas du tout le jazz	I. 4
PASSER (v.) : Passez par là !	III. 3
En juin je passe mon bac	IV. 1
PÂTISSERIE (n. f.) : Je vais acheter un gâteau à la pâtisserie	II. 3
PAYER (v.) : Tu payes ? — Non je n'ai pas d'argent !	II. 3
PAYS (n. m.) : La France, c'est un beau pays	III. 2
PEINE (n. f.): Ça ne vaut pas la peine d'aller voir ce film	IV. 5

PENSER (v.) : Je pense à Julie III. 2
Qu'est-ce que tu penses de ça ? IV. 3
PÈRE (n. m.) : Mon père est pharmacien II. 4
PERMETTRE (v.) : Vous nous permettez de camper ici ? III. 1
PERMIS (v.) : de PERMETTRE III. 1
PERSONNE (n. f.) : C'est pour combien de personnes ? II. 3
PERSONNE : Il y a quelqu'un ? — Non, personne IV. 2
PESER (v.) : Ça pèse combien ? — 2 kilos ! II. 3
PETIT, E (adj.) : Je suis petit : 1 mètre 60 ! I. 5
PETIT-DÉJEUNER (n. m.) : Au petit déjeuner, j'aime boire du thé II. 1
PEU [UN] (adv.) : Vous aimez le rock ? — Un peu ! I. 4
PEUR (n. f.) : N'aie pas peur ! Viens ! III. 3
PEUX (v.) : de POUVOIR I. 3
PHARMACIE (n. f.) : Je vais à la pharmacie acheter de l'aspirine II. 3
PHARMACIEN, IENNE (n.) : de PHARMACIE II. 3
PHOTO (n. f.) : J'ai une photo de la Tour Eiffel II. 2
PHOTOGRAPHE (n.) : François est photographe I. 3
PIANISTE (n.) : Jacques Martineau est pianiste I. 1
PIÈCE (n. f.) : Mon appartement a 4 pièces IV. 4
PIED (n. m.) : J'ai mal au pied III. 4
PLACARD (n. m.) : Il y a un grand placard dans ma chambre IV. 4
PLACE (n. f.) : Il habite Place de la Contrescarpe I. 1
PLAGE (n. f.) : Je vais à la plage III. 2
PLAIRE (v.) : Ça te plaît Montpellier ? — Oui beaucoup IV. 2
PLAÎT [S'IL TE/VOUS-] : Un café, s'il vous plaît ! — Merci I. 2
PLAN (n. m.) : Tu as un plan de Paris ? IV. 3
PLANCHE [A VOILE] (n. f.) : Je fais de la planche à voile en Bretagne IV. 2
PLAT [DU JOUR] (n. m.) : Le plat du jour, c'est du poulet ! II. 2
PLAT [A] (loc. adv.) : La roue est à plat III. 2
PLEIN, PLEINE (adj.) : La maison est pleine de meubles ! IV. 4
PLEURER (v.) : Ne pleure pas ! III. 3
PLEUVOIR (v.) : Il pleut et il fait froid IV. 2
PLU (v.) : de PLEUVOIR IV. 2
PLUIE (n. f.) : La pluie tombe IV. 4
PLUS [LE] (adv.) : Il travaille plus que toi IV. 4
PLUS DE : Je n'ai plus de pain II. 3
POCHE (n. f.) : Tu as des allumettes dans ta poche ! II. 4
POISSON (n. m.) : J'aime la viande, mais je préfère le poisson II. 2
POIVRE (n. m.) : Un steak au poivre s.v.p. II. 5
POLICE (n. f.) : Au secours ! Il faut appeler la police III. 4
POMME (n. f.) : Une pomme ou une orange ? II. 5
POMME DE TERRE (n. f.) : Un steak avec des pommes de terre s.v.p. II. 3
PORC (n. m.) : Un rôti de porc pour 3 personnes s.v.p. II. 3
PORTE (n. f.) : Il est devant la porte de la maison II. 5
PORTER (v.) : Tu peux m'aider à porter cette caisse IV. 4
POSTE (n. f.) : Je vais à la poste IV. 3
POSTE (n. m.) : J'ai trouvé un poste de professeur de français IV. 1
POULET (n. m.) : Un poulet et des frites s.v.p. II. 2
POUR (prép.) : Je téléphone pour un rendez-vous I. 3
Tu es d'accord ? Oui, je suis pour ! IV. 1
POURQUOI (adv.) : Pourquoi tu pars ? — Parce que ! IV. 1
POUVOIR (v.) : Vous pouvez venir mercredi ? I. 3
PRATIQUE (adj.) : Une grande cuisine, c'est pratique ! IV. 3
PRÉFÉRER (v.) : J'aime Beethoven mais je préfère Bach I. 4
PREMIER, IÈRE (adj. et n.) : Et voilà le premier concurrent III. 3
J'habite au premier
PRENDRE (v.) : Vous prenez du café ? II. 2
Je prends le train IV. 3
PRÉNOM (n. m.) : Prénoms : Jacques, Antoine, Marie I. 1
PRÈS (adv.) : J'habite près de Paris
PRÉSENTATEUR, TRICE (n.) : Il est présentateur à la télé I. 2
PRÉSENTER (v.) : Je vous présente M. Lenoir ! IV. 5
PRÉSIDENT, ENTE (n.) : Le Président de la République française I. 1
PRESQUE (adv.) : Le dîner est presque prêt IV. 4
PRÊT, E (adj.) : Vous êtes prêtes ? Alors la répétition commence ! I. 5
PRINTEMPS (n. m.) : Le printemps à Paris, c'est merveilleux IV. 2
PRIS (v.) : de PRENDRE III. 3
PRIX (n. m.) : Quel est le prix de cette voiture ? — 50 000 francs ! IV. 3
PROCHAIN, AINE (adj.) : L'année prochaine je vais en France IV. 1
PROFESSEUR (n. m.) : Le professeur de français I. 2
PROFESSION (n. f.) : Profession : architecte I. 1
PROGRAMME (n. m.) : Le programme de la télévision I. 5
PROMENADE (n. f.) : Je vais faire une promenade au bord de la mer IV. 5
PROMOTION (n. f.) : Il a eu une promotion. Il est directeur IV. 1
PROVINCE (n. f.) : Tu habites à Paris ? Non, en province IV. 1
PRUDENCE (n. f.) : voir PRUDENT III. 4
PRUDENT, ENTE (adj.) : La route est dangereuse. Soyez prudents ! III.
PU (v.) : de POUVOIR III.
PUBLICITÉ (n. f.) : La publicité pour les cigarettes est interdite IV.
PULL [-OVER] (n. m.) : J'ai un pull-over rouge II.

Q

QUART (n. m.) : Il est 3 heures et quart I.
QUE : Que voulez-vous ? IV.
QUEL, QUELLE (adj.) : Quelle heure est-il ? I.
QUELQUE CHOSE : Vous voulez quelque chose ? III.
QUELQU'UN : Un pianiste c'est quelqu'un qui joue du piano III.
Il y a quelqu'un ? Non personne IV.
QU'EST CE QUE : Qu'est-ce que vous faites dimanche ? I.
QUI : Madame Richaud, qui est-ce ? II.

R

RADIO (n. f.) : J'écoute la radio I.
RAISIN (n. m.) : Un jus de raisin s.v.p. II.
RAISON (n. f.) : C'est vrai, vous avez raison ! IV.
RAISONNABLE (adj.) : Un loyer de 800 francs, c'est raisonnable IV.
RANGER (v.) : Il faut ranger la chambre II.
RAPIDE (adj.) : C'est plus rapide en avion IV.
RECETTE (n. f.) : Tu connais la recette des crêpes ? III.
RECEVOIR (v.) : J'ai reçu une lettre IV.
Ils reçoivent des amis IV.
RÉCITAL (n. m.) : Un récital de piano I.
RÉFLÉCHIR (v.) : Tu es d'accord ? — Attends, je vais réfléchir ! IV.
REGARDER (v.) : Ils regardent la télévision I.
RÉGION (n. f.) : On vient visiter la région III.
REGRETTER (v.) : Tu viens ? — Je regrette, je ne peux pas IV.
REMERCIER (v.) : Je vous remercie beaucoup III.
RENDEZ-VOUS (n. m.) : Rendez-vous à 3 heures, 4 rue de Paris I.
RENSEIGNEMENT (n. m.) : Je peux vous demander un renseignement ? III.
RENTRER (v.) : Ils sont rentrés à minuit III.
RÉPARER (v.) : Il faut réparer la voiture III.
REPAS (n. m.) : En France, il y a 3 repas par jour II.
RÉPÉTER (v.) : Vous pouvez répétez ? Je ne comprends pas III.
RÉPÉTITION (n. f.) : Il y a une répétition de l'orchestre Lorentz I.
RÉPONDRE (v.) : Jacques a répondu à ma lettre IV.
REPRÉSENTANT, ANTE (n.) : Il est représentant chez Ford II.
RESTAURANT (n. m.) : Je dîne au restaurant I.
RESTER (v.) : Je peux rester chez toi ? III.
RETARD [EN] (n. m.) : Il est 10 heures ! Elle est en retard ! I.
RETOUR (n. m.) : voir RETOURNER
RETOURNER (v.) : Il faut retourner à la voiture III.
RETROUVER (v.) : J'ai retrouvé mon blouson IV.
RÉVEILLER [SE] (v.) : Je me réveille à 7 heures III.
REVOIR [AU] (n. m.) : Au revoir ! A demain ! I.
REZ-DE-CHAUSSÉE (n. m.) : Au rez-de-chaussée il y a 3 pièces IV.
RIEN : Tu as mal ? — Non je n'ai rien III.
Tu veux quelque chose ? — Non, rien IV.
RIRE (v.) : Tu me fais rire ! III.
RIZ (n. m.) : Un poulet au riz s.v.p. II.
ROBE (n. f.) : Tu as une nouvelle robe ? II.
ROND-POINT (n. m.) : A gauche, après le rond-point IV.
RÔTI (n. m.) : Je voudrais un rôti de veau II.
ROUE (n. f.) : La roue est à plat III.
ROUTE (n. f.) : C'est sur la route Paris-Tours IV.
ROUX-ROUSSE (adj.) : Françoise est rousse I.
RUE (n. f.) : J'habite rue Racine I.

S

SAC (n. m.) : J'ai oublié mon sac III.
SAIS (v.) : de SAVOIR III.
SALADE (n. f.) : De la salade ou des frites ? II.
SALAIRE (n. m.) : Mon salaire est de 10 000 francs par mois IV.
SALLE (n. f.) : Il y a un concert salle Pleyel I.

ALLE DE BAINS (n. f.) : Une chambre avec salle de bains IV. 3

ALUT (n. m.) : Salut Jacques ! Ça va ? I. 2

AMEDI (n. m.) : Je suis libre samedi et dimanche I. 3

ANTÉ (n. f.) : A votre santé ! III. 5

AUTER (v.) : Il saute 1 mètre 60 IV. 5

AVOIR (v.) : Qu'est-ce que c'est ? — Je ne sais pas ! III. 3
Tu sais parler français ?

ECONDE (n. f.) : Une seconde, j'arrive ! II. 3

ECRÉTAIRE (n.) : Martine est secrétaire I. 1

ÉJOUR [SALLE DE -] (n. f.) : Cet appartement a un grand séjour IV. 3

EL (n. m.) : Un peu de sel, s.v.p. II. 5

EMAINE (n. f.) : On va camper une semaine en Italie III. 5

EPTEMBRE (n. m.) : Le 23 septembre I. 5

ERVICE (n. m.) : Je peux te demander un service ? III. 4

ERVIR [SE] (v.) : Servez-vous de vin ! III. 5

EUL, E (adj.) : Je vis seule ! II. 2

(adv.) : Tu ne viens pas ! — Si III. 4

ITUATION (n. f.) : Il a une bonne situation
Il est ingénieur en chef IV. 1

TUÉ, ÉE (adj.) : Cette ville est située près de la mer IV. 2

KI (n. m.) : Je vais faire du ski dans les Alpes IV. 2

ŒUR (n. f.) : J'ai une sœur. Elle a 16 ans II. 4

OIF (n. f.) : Tu as soif ! Alors prends de l'eau ! III. 5

OIR (n. m.) : Rendez-vous vendredi soir I. 3

OLEIL (n. m.) : A Montpellier il y a beaucoup de soleil IV. 2

OMMEIL (n. m.) : J'ai sommeil ! Je vais me coucher III. 4

ONNERIE (n. f.) : C'est la sonnerie de midi II. 1

ORTIE (n. f.) : Où est la sortie s.v.p. ? IV. 1

ORTIR (v.) : Sors la tente du coffre III. 2

OURIANT, ANTE (adj.) : Jacques est souriant I. 5

OURIRE (v.) : Vous êtes triste ? Allez, souriez ! III. 3

OUS (prép.) : Sous la table II. 1

OUVENIR (n. m.) : J'ai gardé un bon souvenir de ce voyage IV. 2

OYONS, SOYEZ (v.) : de ÊTRE III. 3

PÉCIALITÉ (n. f.) : La spécialité du restaurant c'est la choucroute II. 5

PORT (n. m.) : Le week-end je fais du sport II. 1

TEAK (n. m.) : Un steak-frites s.v.p. II. 1

TYLO (n. m.) : Tu as un stylo ?

U (v.) : de SAVOIR III. 3

UCRE (n. m.) : Un café avec 2 sucres s.v.p. II. 3

UD (n. m.) : Au sud de Paris IV. 1

UIS (v.) : de ÊTRE : Je suis pianiste I. 1

UITE [TOUT DE] (loc.) : Tu arrives ? — Oui tout de suite ! III. 5

UIVRE (v.) : Vous suivez cette route III. 2

UPER (adj.) : La planche à voile, c'est super IV. 2

UPERMARCHÉ (n. m.) : Je fais mes courses au supermarché III. 2

UR (prép.) : La lampe est sur le bureau II. 1

ÛR [BIEN] (loc.) : Je peux venir ? — Bien sûr ! III. 1

URFACE (n. f.) : Quelle est la surface ? — 100 m^2 ! IV. 3

YMPA [-THIQUE] (adj.) : Jacques est sympathique I. 5

T

ABAC (n. m.) : Je vais au tabac acheter des cigarettes II. 3

ABLE (n. f.) : Cette table est libre ? III. 1

ANTE (n. f.) : Ma tante s'appelle Antoinette II. 5

AXI (n. m.) : Je vais prendre un taxi IV. 1

ÉLÉPHONE (n. m.) : Vous avez le téléphone ? II. 1

ÉLÉPHONER (v.) : Vivienne téléphone à Jacques I. 3

ÉLÉ [-VISION] (n. f.) : Je regarde la télé le week-end I. 4

EMPS (n. m.) : Il fait beau temps ! III. 1
Je n'ai pas eu le temps ! IV. 5

ENIR (v.) : Tu peux tenir ça ? III. 4

ENNIS (n. m.) : J'aime jouer au tennis II. 4

ENTE (n. f.) : On va monter la tente III. 1

ERRAIN [DE CAMPING] (n. m.) : Où est le terrain de camping ? III. 1

ÊTE (n. f.) : J'ai mal à la tête III. 4

HÉ (n. m.) : Du café ou du thé ? II. 2

HÉÂTRE (n. m.) : Je vais au théâtre mardi I. 4

IENS (v.) : de TENIR III. 4

IMBRE (n. m.) : Une enveloppe et un timbre s.v.p. II. 3

IMIDE (adj.) : Sa fille est timide III. 3

IROIR (n. m.) : Le papier à lettres est dans le tiroir II. 1

TOILETTES (n. f. pl.) : Où sont les toilettes ? IV. 3

TOMBER (v.) : Elle est tombée et elle s'est fait mal III. 4

TOURISME (n. m.) : L'office de tourisme est à côté de la poste IV. 2

TOURISTE (n. m.) : Les touristes visitent la région IV. 2

TOURNER (v.) : Tournez à gauche III. 3

TOUT, TOUTE, TOUS (adj.) : Tous les jours IV. 2

TOUT À L'HEURE (loc.) : A tout à l'heure III. 1

TOUT DE SUITE (loc.) : J'arrive tout de suite III. 5

TOUT DROIT (loc.) : C'est à gauche ? — Non, tout droit ! IV. 3

TOUT LE TEMPS (loc.) : Il mange tout le temps IV. 2

TRAIN (n. m.) : Le train part à 14 heures 19 IV. 1

TRAIN [EN - DE] : Il est en train de dormir III. 5

TRAVAIL (n. m.) : J'ai du travail II. 1

TRAVAILLER (v.) : Mardi je suis libre mais mercredi je travaille I. 3

TRÈS (adv.) : Vous êtes très gentille III. 1

TRIMESTRE (n. m.) : Le trimestre prochain je travaillerai mieux IV. 5

TRISTE (adj.) : Je suis triste I. 5

TROP (adv.) : Hier soir, j'ai trop bu III. 4

TROUVER (v.) : J'ai trouvé un travail IV. 1
J'ai trouvé ce film très bon IV. 3

U

UNIVERSITÉ (n. f.) : L'année prochaine je vais à l'université ! IV. 1

URGENT (adj.) : Il y a une lettre urgente pour vous II. 1

USINE (n. f.) : Il travaille dans une usine de chaussures IV. 1

V

VA (v.) : de ALLER. Il va à l'opéra I. 3

VACANCE (n. f.) : Je vais en vacances en Bretagne III. 1

VAIS (v.) : de ALLER. Je vais au cinéma I. 3

VEAU (n. m.) : Un rôti de veau s.v.p. II. 2

VÉLO (n. m.) : On y va en vélo ? IV. 1

VENDEUR, EUSE (n.) : Il est vendeur dans une épicerie II. 3

VENDRE (v.) : La boulangère vend du pain II. 3

VENDREDI (n. m.) : Vendredi 3 juin I. 3

VENIR (v.) : Tu peux venir dîner mardi ? I. 3

VENIR [DE] (v.) : Il vient de partir III. 5

VENTE (n. f.) : Location et vente II. 1

VERRE (n. m.) : Tu prends un verre avec moi ? II. 4

VÊTEMENT (n. m.) : Range tes vêtements ? II. 4

VEUF, VEUVE (n.) : Tu es marié ? — Veuf ! II. 2

VIANDE (n. f.) : Je ne mange pas de viande II. 2

VIE (n. f.) : Qu'est-ce que tu fais dans la vie ? II. 5

VIDE (adj.) : La bouteille est vide II. 5

VIEUX, VIEILLE (adj.) : Il est vieux. Il a 100 ans I. 5

VIGNOBLE (n. m.) : Bordeaux est une région de vignobles IV. 2

VILLA (n. f.) : Je cherche une villa de 7 pièces IV. 3

VILLAGE (n. m.) : J'habite un petit village IV. 1

VILLE (n. f.) : Paris est une grande ville II. 5

VIN (n. m.) : De l'eau ou du vin ? II. 2

VIOLON (n. m.) : Elle joue du violon I. 5

VIOLONISTE (n.) : Il est violoniste à l'orcheste de Paris I. 5

VISITE (n. f.) : voir VISITER III. 2

VISITER (v.) : Cet été on va visiter le Portugal III. 1

VISITEUR, EUSE (n.) : de VISITER

VITE (adv.) : En voiture, il va trop vite

VIVRE (v.) : Il est anglais mais il vit en France II. 2

VOICI (prép.) : Voici le chef d'orchestre I. 5

VOILA (prép.) : Voilà Jacques I. 5

VOIR (v.) : Je ne vois pas Marc ? Ah, il arrive I. 5

VOISIN, E (n.) : Mes voisins sont sympathiques I. 5

VOITURE (n. f.) : J'ai acheté une voiture allemande III. 2

VOLONTIERS (adv.) : Un café ? — Oui, volontiers I. 4

VOUDRAIS (v.) : Je voudrais du pain. De VOULOIR II. 2

VOULOIR (v.) : Vous voulez du café ? I. 4

VOULU (v.) : de VOULOIR III. 3
VOYAGE (n. m.) : Il fait un voyage en Italie III. 5
VOYAGER (v.) : J'adore voyager I. 4
VRAI, E (adj.) : C'est vrai ? IV. 1
VU (v.) : de VOIR

W

WEEK-END (n. m.) : Qu'est-ce que tu fais le week-end ? I. 4

Y

Y (adv.) : Tu vas à Paris ? — Oui j'y vais ! III.
Tu penses au pain ? — Oui j'y pense ! III.
YAOURT (n. m.) : Fromage ou yaourt ? II.
YEUX (n. m. pl.) : Elle a les yeux bleus III.

Z

ZUT : Tu travailles dimanche ? — Ah non zut ! II.

Système de transcription phonétique utilisé : l'Alphabet Phonétique International.

[i]	midi	[w]	oui. moi
[e]	chanté	[p]	petit
[ɛ]	chantais. tête	[b]	bord
[a]	ta	[t]	tu
[ɑ]	pâte	[d]	dans
[ɔ]	porte	[k]	quand
[o]	métro	[g]	gare
[u]	goutte	[f]	faire
[y]	tu	[v]	va
[φ]	eux	[s]	assez
[œ]	bonheur	[z]	rose
[ə]	cheveux	[ʃ]	chat
[ɛ̃]	faim	[ʒ]	jardin
[œ̃]	un	[m]	homme
[ɑ̃]	temps	[n]	nous
[ɔ̃]	monter	[ɲ]	montagne
[j]	fille	[l]	la
[ɥ]	bruit	[R]	rêve